望海風斗　第二幕

日経BP

『望海風斗 第二幕』 目次

PART.1 宝塚のトップスターから新たな1歩

はじめに ――『望海風斗 第二幕』によせて――

みなさま、私の初めての書籍『望海風斗 第二幕』を手に取ってくださり、ありがとうございます。

『日経エンタテインメント!』で約1年半連載していた『Canta, vivi!』が、1冊の本になりました。Canta, viviは〝歌う・生きる〟という意味ですが、当時は自分自身がこの先どうなっていくか分からない、想像もできていなくて、1つの道しるべとして自分の「歌」と、それをキーとしていろいろなものを探していきたい、多くの人と出会っていきたいという気持ちで、いくつかの候補のなかから選ばせていただきました。この1年半の出会いや経験を通して、変化した部分や視野が広がった部分もありますが、今も自分の根底にはまず歌があることに変わりはないですし、舞台で歌うということが何よりも好きだと全身で感じた期間でもあったので、このタイトルでよかったなと思っています。最初につけたときに考えていた意味からもっと膨らんだ気がしますね。だからこそ、変わらないことも変わったことも全部詰め込んで、『望海風斗 第二幕』という形でこの本をみなさまにお届けできることをうれしく思っています。

この1年半はとにかく毎日が目まぐるしくて、本当に濃くて——自分がどういう状態だったのか、いつ、どこで、どんな変化が自分に起きたのかなど、ちゃんと振り返ることなく突き進んでしまったので、私もこの本を改めて読んだときに思い出すことがいっぱいあります。きっと応援してくださるみなさまも私と一緒に走り続けてくださったと思うので、本を読んで一旦ゆっくり振り返っていただき、「こういうこともあったな」とか、「こういうことを考えているのね」とか、舞台の上じゃない私を知ってもらえたらいいなと思います。

そして、気づきや発見、新たな考えにたくさん出合えた日々だったので、みなさまにとっても何か人生のヒントのようなものが、この本のなかにあるとうれしいなと思っています。

望海風斗

#00 インタビュー

Interview

ミュージカル3作への出演を発表
宝塚の元トップスターが本格始動

2021年4月に18年間在籍した宝塚歌劇団を退団し、新たなスタートを切った元雪組トップスターの望海風斗。深く豊かで色鮮やかな歌声と、感情を丁寧に積み重ねた芝居で劇場を支配する圧倒的な存在感を放ち、『ファントム』や退団公演となった『fff－フォルティッシッシモ－』など多くの代表作を残してきた。

タカラジェンヌではない1人の望海風斗として本格始動となる2022年。年明けから『INTO THE WOODS』（1～2月、東京・日生劇場ほか）、『ネクスト・トゥ・ノーマル』（3～4月、シアタークリエほか）、『ガイズ＆ドールズ』（6～7月、帝国劇場ほか）と3つのミュージカル出演が発表されており、近年盛り上がりを見せるミュージカルをけん引していく存在として大きな注目を集めている。

『日経エンタテインメント！』では22年3月号から望海の新連載がスタート。新たなフィールドでの飛躍が期待される彼女の今を追っていく。はじめに連載に先駆け、退団からここまでの思いを話してもらった。退団後の今の心境を聞くと、望海は柔らかな表情を浮かべながら話し始めた。

辞めてからまだ1年たっていないのも驚きと言いますか。それだけ退団公演の濃い日々と20年近くいたところを無事に走り切った、新型コロナウイルス感染症の状況下で走り切れた達成感はすごく大きいですね。思い返すと、本当に自分が歩んできたんだっけ?と思うくらい(笑)。

今は、まず朝起きたときの感覚が違います。目が覚めて「今日も1日戦うぞ!」という気持ちはもうなくなったというか。逆になんであんなに毎日戦っていたのか(笑)。家に帰ってもずっと作品や役について考えて、イメージを膨らませるための資料や映像を見て過ごすことがメインになっていましたが、最近はいい意味で自分のリズムも分かりつつ、英会話のレッスンをリモートで始めたり、散歩をして景色を楽しんだり。今は『INTO THE WOODS』のお稽古中ですが、帰宅したら違うことを考えたりも自然とできているので、宝塚にいた頃とは全然違った充実感を感じています。そういう意味で生活が柔らかくなりましたね。

人と関わりたいから舞台へ

22年は出演舞台が目白押しの望海だが、退団後の活動については、退団発表後の予期せぬコロナ禍によって生まれた時間が、考え方を変えるきっかけになったという。

コロナで公演がストップしていなかったらどうなっていたか分からないです。私は男役がすごく好きで、いい意味で狭い世界であるあの宝塚の世界で生きていくことが本当に居心地良かったので、そこから出て広い世界に行くのは難しいだろうなと思っていたんです。だから、人前に出て何かをする前にちゃんと勉強して、やり直していくことが私には合っているだろうなって。歌うことと何かを表現することはもちろんやりたかったのですが、すぐに舞台に出たいとは思っていなかったんです。

具体的には、歌を基礎からきちんと勉強したかったのと、あとは宝塚で歌を教える人になりたいなと。ただ、退団する前に何カ月間か家にいる時間ができて、人との関わりが断たれたときに、舞台に立って人に会う、見に来てもらってその日の出会いがあるというその刺激的な環境がすごく好きなんだなと気づいて。人と関わりたいな、舞台に出たいなという気持ちになりました。歌を教えると言っても1、2年でできることではないですし、実際、自分が舞台に立って、いろいろな経験をした後、まだまだ先でもそれはできるのかなと思えるようになりました。

本当にずっと宝塚のことしか考えていなかったし、かといって他に何か好きなこともなく、「もうすぐ私は（宝塚の）外に出るけど何をするんだろう」と客観的に考えているところはありましたね。時間があったことで、現実に立って考えられた期間があったことは、私にとってはとても良かったです。

舞台に立ち続けることを決めた望海。彼女にとって最もウエートを占めるのが、「歌」への純粋な思いだ。ミュージカルの舞台に立つのも、「そこに歌があるから。そういうことみたいです」と、少し思案してからそう口にした。また、今の望海の肩書をひと言で表すと何になるのかを問うと、「俳優や女優はしっくりこないですね」と言い、あらゆる分野でジャンルレス、シームレス化が進んでいるなかで、「表現者がしっくりくるかもしれません。でも、本当に私はまだ何もしていなくて、自分は何がしたいのか、何をするのかをこれから見つけていくのかなと思っています」と真摯に答えてくれた。

大好きな「歌」を歌い続けたい

今後こうなりたいとはっきり言えるものがあるとしたら、歌は歌い続けたいです。同時に歌うことの楽しさも伝えられたらいいなと思います。歌が武器と言っていただくことも多いのですが、私自身は全然そう思っていないというか…。確かに、宝塚時代に何を武器として自分をプロデュースしていくかと考えたときには歌が1番にあったんですけど、今は歌うことで自分の人生もすごく豊かになると感じていて。だからこそいろいろな歌を歌いたいですし、たくさんの出会いのなかで新しい経験をしたらまたさらに歌って変わると思うので、今はやったことのないことにも挑戦したいと思っています。

歌を歌うことと、歌で人とつながるというのが私はすごく好きなだけで、武器ではないですよ。むしろ「歌わせてください」という感じです(笑)…という思いは、宝塚を辞めてから発見しました。自分はなんて言うんでしょう…うまく器用に生きていける人間ではないので、歌うことによってちゃんと空気が吸えると言いますか、自分自身ピンとできるというか。「私、生きてる!」と感じられるんです。

これからまた舞台に立つことで、何を感じて、吸収して、そこに何が加わっていくかは、まだ自分では分からないです。こういうこともありなんだとか、こういう道もあるんだとか気づくこともあるでしょうし、歌というジャンルにおいても今考えているものと全然違うものに興味を引かれることもあるかもしれないですし。経験をしっかり蓄えて、「これがやりたい!」って明確に見えたときにすぐ動けるように、視野も間口も広げておきたいですね。ありがたいことに舞台も続くので、今は止まってはいたくないな、という前向きな気持ちでいます。

歌を聴くこともももちろん好きだと話すが、そこでも望海の真面目過ぎる探究心は健在だ。

最近はBTSを聴いたりしていますね。でも、聴くのも「これってどういう発声をしてるんだろう」という感じで聴いちゃっています(笑)。ボイストレーナーさんにも「BTSのジョングクさんの裏声への移り変わりはどうやったらこうなるんですか?」「ここの筋肉を鍛えたほうがいいんですか?」なんて質問したり。あとは、海外のミュージカルに出ている方のコンサート音源をよく聴きます。今は意識的に女性の声を聴くようにしているんです。聴いている間も声帯が勝手に動いているそうなので、こういう歌い方をしたいなとか、素敵(すてき)だなと思う方の曲で、どうやって声を出すのか気になったところを何回も聴いて練習してみたりしています。

現在は、(22年)1月11日から始まる退団後初舞台となる『INTO THE WOODS』の稽古中。赤ずきん、シンデレラ、ジャックと豆の木など誰もが知る童話に新しい解釈を加えたミュージカルで、ディズニーによって実写映画化もされた名作の舞台化作品だ。望海はキーパーソンとなる魔女を演じる。

キャストのみなさんと顔を合わせたときに、本当にそれぞれ違うフィールドから集まっていて、私はもう宝塚という枠組みから外れたんだな、甘えられないんだな、というのは実感しました。

お稽古場の感覚も今までとは全然違いますね。みんなで話し合いながら作るというよりも、1人ひとりがその日のエネルギーをどうお稽古場で回していくか、日々言葉を交わしてどう変化していくか。集中力と瞬発力が必要です。宝塚は見え方などにもとても気を使っていたので、その意識を省くのにも時間がかかりました。みなさん本当にいろいろなアイデアを持ってきて、現場でどんどん試していくんです。素直にすごいですし、それぞれの人間力や視野の広さ、芸の引き出しの多さに驚きましたし、自分が小さく感じることもありました。もちろん楽しいです。楽しいですけど…素の自分をさらけ出すみたいなことを要求されるのですが、素の自分がよく分からなくて。殻を破るのとはまた違うと思うんですよね。だから役で悩むより、「自分って何だろう？」と考えることのほうが多いかもしれないです。

『INTO THE WOODS』は、それぞれの人の人生の物語です。私たちの日常にありふれている生きるために必要な欲だったり、家族との関係だったり、周りの人たちとの関係のなかでどう生きていくかが描かれていて、テーマが身近で深い作品だと思います。また、劇場に入ったら観客のみなさんも同じ空間にいるというか、森に迷い込んだような感覚になるんじゃないかなと思っています。

最後に座右の名を聞くと、2つの言葉を教えてくれた。

宝塚にいたときからずっと思っていたのは「プライスレス」。舞台はみなさんチケット代を払って見に来てくださっているので、値段というのがつきますよね。でも、見に来られたときにそれ以上の喜びを感じて帰っていただけたらなと。一緒に仕事をしているスタッフさんや周りの方も、ただ劇場に来て、ただ自分の仕事を黙々とやって帰っていくのではなく、「今日もいい1日だったな」「また明日も頑張りたいな」と思えるプライスレスな時間を作りたいという気持ちが昔から強くて。

舞台を毎日やっていると体調の変化もあります。でも、何かアクシデントがあったときに、それを逆手に取ってその日にしかできないものを作り上げるということも舞台だからできることだと思うんです。そういう意味では、いかにその日をプライスレスなものにして提供するか、一緒に働く人にもそう感じて仕事をしてもらえるか、というのは大きいです。なので、座右の銘を聞かれたときにはずっと「プライスレスな舞台を」と答えています。

あとは、「感謝の気持ちを忘れずに」という言葉も大事にしています。宝塚受験前のジャズダンスの先生にいただいた言葉で。電話をおかけするたびに絶対に言われていたのですが、その意味が宝塚に入ってからよく分かりました。

特に舞台は、自分だけが楽しく終わってもやっぱりダメなんですよね。みんなが「今日も楽しかったね」と思えたら自分自身もよりハッピーに1日が終われますし、そうでないと50回近く続く公演を乗り越えられない。つらいことがあったとしても、それ以上に毎日人間らしく生きていけたらいいなと。それには何事も「やらなきゃ」みたいなことで終わらない、義務感で終わらないというのが大切だなと思っています。

難しいですけどね。どうしても何かに追われてルーティンみたいになってしまうこともありますし。だから、ルーティンのなかでも楽しみを見つけてもらうとか、自分がやることで日々のルーティンにプラス何かこうちょっと心が弾むことがあったらいいなとか、そういうことを考えるのがすごく好きです。

（『日経エンタテインメント！』2022年2月号掲載分を加筆・修正）

PART.
1

宝塚のトップスターから新たな1歩

#01

Interview

インタビュー

始動〜新しい〝望み〟へ

2021年4月に宝塚歌劇団を退団し、
新たなスタートを切った望海風斗のこれからを追う新連載。
初回は、ミュージカル『INTO THE WOODS』公演中の望海に、
退団後の初舞台で感じた新たな発見や思いを聞いた。
誰もが知るおとぎ話が組み合わさり、
「森」の中で新たな物語を繰り広げるミュージカル『INTO THE WOODS』。
望海が演じるのは、様々な作品世界のブリッジとなる「魔女」だ。

やはり久しぶりに舞台に立って思ったのは、自分は本当にこの空間がすごく好きなんだなということ。お稽古中は試行錯誤や慣れないこともたくさんありましたし、宝

塚を離れて新しいことに挑んでいかなきゃという気持ちでいたのですが、ステージって変わらずどこも一緒で、この空間が本当に好きで、自分が生き生きとできるんだなと改めて感じました。出番のないときに袖で舞台を見ているだけでも本当にワクワクしますし、（シンデレラの継母役の）毬谷友子さんにも「水を得た魚のようだね」って(笑)。確かにそう言われて息を吹き返したような感覚になったというか。これだ！と。私の居場所、ホームだなと感じました。

『INTO THE WOODS』への出演を決めたのは、直感です(笑)。映画を見て非常に難しい挑戦になるとは思いましたが、魔女っていわゆる女性らしくなくてもいいし、今まで男役でいろいろな役をやらせていただくなかで等身大の普通の役をあまり経験してこなかったので、そういう意味で魔女は延長線上にあるのかなと。「ベートーヴェンの次は魔女だな」って、ピンときたといいますか(笑)。演出の熊林（弘高）さんに「これに出て後悔していませんか」って何回も聞かれるんですけど、全てを取っ払って振り切ってできる役なので、自分の中で可能性がすごく広がるかな、1度今の自分を出し切ってから始めるのもすごくいいんじゃないかなと思いました。

作品のモチーフになっているおとぎ話の中の魔女は悪者のイメージが強いですが、

今回は母親の側面がすごく出ているので、お客様にとっても共感しやすい立ち位置なのかなと感じています。それこそ熊林さんが「魔女というものを表現しようとしないで」とお稽古中に言っていた意味が、舞台に立ってやっと分かりました。

衣装やメイクなど見かけは異色ですけれど、でもそこに母親の深い思いと、初めて触れた人間らしさ…パン屋さんのお父さんに対しての思いなど彼女のバックボーンが見えたので、それをしっかり背負って、無くさないようにしなきゃなと思っています。特に第1幕は出るたびにキャラクターが違うので、「何、この人!?」と思ってもらえるように振り切って、第2幕でどう急降下させていくか――。1幕で盛り上げるだけ盛り上げて、それをどう下げていくかがこの作品の面白いところなので、1回1回深掘りして臨んでいます。お稽古場で苦労して作ったものをお客様に見ていただいて、そこから発見や気づきがあり、次につなげていこうと思える。その時間はすごく貴重ですし、やっていて楽しさしかないです。

お稽古に入ったばかりの頃は、立ち位置が難しかったんです。おとぎ話の主人公たちがたくさん出てきますが、この作品においては「主役」はいない。さらに、巨人と魔女はおとぎ話では悪者とされる存在なので、話の主軸はどこにあるのか、自分が魔女としてどうあるべきかは、（公演が始まり）お客様が入って初めて分かったことも少なくありません。ここはもっと自分が堂々と出たほうがいいんだろうなとか、宝塚でトップという立場をやらせてもらったからこその経験を生かせたことは大きかったです。今回の役ではいろいろなことに挑戦させていただきました。パフォーマーさんに担いでもらったり、こういう表現もできるんだなと知ることもできました。「これからも自分の知らないものに触れてみたいな」と視野や興味が広がりましたし、様々なことに挑戦していくことで、私自身感じることがもっといっぱいあるんだろうなという気づきがありました。

共演者から受けた多くの刺激

羽野晶紀さんや宝塚の先輩でもある毬谷友子さんといった共演者の方々も、当たり前ですけど(笑)、初めてご一緒する方ばかりなので、お稽古の初日はすごく緊張しました。本当にみなさんすごいです。最初の本読みの時点から、今までやってきたことと全然質が違って…。分かっていたつもりでしたが、想像以上でした。お稽古場での毎回の集中力もそうですが、みなさんそれぞれがやられていることを、それぞれがちゃんと受けて、お芝居が生み出されていって、1回1回やるごとに深まっていって、初日に向けてどんどん完成されていく過程を間近で見られたのは、とてもいい経験になりました。他の方のお芝居から何を受けて自分の中に入れ、そして次にいくのか、自分は何を出すのか――その大切さを共演者の方々から学びました。お稽古場では隣の席がパン屋の妻役の瀧内公美ちゃんで、お芝居の話をたくさんさせてもらったのですが、彼女の話からもそれを強く感じました。

あと、みなさん責任感が強いというのでしょうか。分からないことがあればすぐに熊林さんに聞きに行ったり、アイデアが浮かんだら伝えたりされていて驚きました。宝塚は演出家の方が先生でもあるので、そこは全然違いますね。また、こういう作品なので誰かが現場をまとめるみたいなことはあまりなかったのですが、それでも「どうしよう」というときには、ジャック役の福士誠治さんが明るく前向きにみんなを引っ張ってくださったり。歌詞と歌とメロディーをどうやってリンクさせたらいいのか悩んでいたときには、毬谷さんが言葉をこういうふうに変えてみたらどうかと提案してくださったり。もちろん熊林さんを中心に、それぞれの経験を持ち寄り、アイデアを出していくというのが今回の現場だったので、すごく勉強になりました。

でも、みなさんありのままなんですよ。何かを作り込んで舞台に出るということがなく、ありのまま舞台に役として存在しているんです。それがすごく面白かったですね。羽野さんは本当にそうで、裏でギリギリまで普通にしているのに、舞台に出ると赤ずきんちゃんになってしまう。私は役に入り込んでしまうので、そうならないようにしようと、あまり固まり過ぎると良くないなと思いました。宝塚時代は、「責任を取らなきゃ」という気持ちが強かったのですが、これだけ経験豊富な方々がいらっしゃるので、良くも悪くも自分のやることに責任を持ち過ぎないというか。みなさまに助けていただきながら、進化していけたらいいなと思っています。

こういうご時世なのでみなさんとゆっくり話をしたり、お稽古の後にご飯を食べたりしながら仲を深めるといったことはできなかったので、それは残念でしたね。

新たな歌へのアプローチ

今回の舞台での経験で、歌へのアプローチの仕方はすごく変わりました。それは、これからにとって大きいのかなと思います。「歌を歌のように歌わない」と熊林さんから言われていて。言葉をきちんと立てるとか、メロディーに流されないということなのですが…難しいですよね。メロディーに流されて歌ってしまえば、自分の中身がどうであれ絶対に曲で(場面が)完成してしまう。でもお稽古では、芝居と一緒で〝ずっと完成させない〟という作り方をしていて。ここのこの音はこれもありなんじゃないか、この言葉の意味はこうなんじゃないか、何を思ってその言葉を発するかというのを1個1個明確に突き詰めながら、しゃべるように演じていく。

最初は何で?と思いました。私の今までの歌い方だと歌の構成が見える、それを観客に見せたくないと熊林さんに言われて——。でも、『ラスト・ミッドナイト』という、最後に魔女が死ぬときに歌う曲をオーケストラと合わせたとき、メロディーに乗せて歌ってみたら感覚が全然違ったんです。今までやってきたこともきっと無駄にはならないと思いますが、そこにまた新たなアプローチの仕方が加わったことで、これから歌うときに1つ、大きな引き出しができたんじゃないかなと思っています。そして、スティーヴン・ソンドハイムさんの曲に初めて挑戦できたことは財産です！

今、ミュージカルが好きだなと改めて感じています。その時その瞬間を人の心と直接やり取りができるのが舞台の1番の魅力。今は配信などでお家で安全に見ていただくというのも大事ですし、それによって1人でも多くの方に見てもらえるのももちろんうれしいのですが、劇場でその日のお客様と作り上げる時間は何よりも大事にしたいなと思います。舞台上とお客様とでお互いのエネルギーを送り合えるというのが舞台の醍醐味（だいごみ）ですよね。

そして最後になりましたが、今月から連載が始まりました。この連載を通してたくさんの方に興味を持っていただけたらいいなという思いと、自分自身も連載を通して成長して、いろいろなことを知っていくような場所にできたらと思います。1回1回を楽しんで挑んでいきますので、どうぞよろしくお願いいたします。

（『日経エンタテインメント！』2022年3月号掲載分を加筆・修正）

ミュージカル『INTO THE WOODS』
赤ずきん、シンデレラなど誰もが知る童話に新しい解釈を与えた、トニー賞3部門受賞の名作ミュージカル。ディズニーによって実写映画化もされている。作詞・作曲は『ウエスト・サイド物語』などのスティーヴン・ソンドハイム。22年1月11日～2月13日まで、東京・日生劇場、大阪・梅田芸術劇場で上演。

#02 インタビュー

Interview

宝塚退団から1年。改めて語る18年の軌跡

だいもん、のぞ様などの愛称で親しまれ宝塚歌劇団の雪組トップスターとして絶大な人気を誇り、2021年4月11日に『fff ーフォルティッシッシモー』／レビュー『シルクロード～盗賊と宝石～』を最後に宝塚を退団した望海風斗。既にミュージカルを主戦場に新たな魅力を放つ望海に退団から1年がたった節目の今、改めて宝塚について語ってもらった。

私の宝塚人生は「天海祐希さんになりたい！」から始まっているんです。子どもの頃からバレエなどのお稽古をしていたし、母にミュージカルに連れて行ってもらって

いたので舞台の世界に憧れはあったのですが、叔母が宝塚のファンでずっと私を狙っていたんでしょうね(笑)。小3のときにビデオで『PUCK』(月組公演)を見せてもらったら、キラキラした世界とカッコいい男役とかわいい娘役さんたちにもう夢中。ただ初めは、素敵なんだけれども、みなさん同じように見えていたんです。それが『グランドホテル』(月組公演)を見に行ったときに、一目で天海さんがハッキリくっきり印象に残って、「私も宝塚に入りたい!」と強く思うようになりました。それまでずっと夢を聞かれてもピンときていなかったのに、10歳で人生が決まった瞬間でした。漠然と、宝塚に入れば天海さんのようになれる!と思っていたのだと思います。

中学生くらいになると周りが見えてきて宝塚の受験の難しさも知り、本当に宝塚に入れるのかな?と考えた時期もありました。また、宝塚に入りたいという気持ちと同時に、自分の人生を考えたときに「高校生活も楽しみたいな」と思っていたので、(宝塚歌劇団の育成組織である)宝塚音楽学校は中学3年生から受験できるのですが、普通の高校に進学しました。ただ、バレエなどのレッスンは続けていましたね。「やりたいことを全部諦めたくない」というのは昔から変わらずで、高校生活を謳歌(おうか)しました(笑)。

毎月の宝塚観劇も欠かさなかったのですが、そんな高2のときに出合ったのが、『LUNA－月の伝言－／BLUE・MOON・BLUE－月明かりの赤い花－』（月組公演）。「私もここに立ちたかった…！」と、後悔というか心の底から気持ちが湧き上がり、その年の宝塚受験を決めた運命の作品です。そこから本格的に受験のためのレッスンを始めて、教えていただくことになったジャズダンスの先生が元宝塚の方で、本当にお世話になりました。いい先生に出会えてよかったなと今でも思います。

入ってからはとにかく楽しくて。厳しいと言われている音楽学校も、入団してから数年は楽しさばかりでした。先生方にはお手数をお掛けしましたが（笑）。

下級生の頃は公演に入れないこともありましたが、できた時間で車の免許を取ったり、個人的にレッスンをしつつ、休みは休みとして切り替えて過ごしていましたね。それが少しずつ変わっていって。宝塚は考えていたよりもすごい世界というか、厳しい世界というか。男役とひと言で言っても、見るのと演じるのでは全然違いました。カッコつけてやらなきゃと思うのですが、それが難しくて。だけどそれは、どうしたいのか、どうするのか、自分自身で考えてやっていかなければいけない部分。自分が乗り越えなければ、先へは進めないんですよね。

様々なことを吸収し、考えながら「男役・望海風斗」を確立

1つ目の転機は、花組に配属されて入団2年目の終わりに出た『くらわんか』(05年)です。演出は谷正純先生で、ワークショップのような形で1つの役を5人で演じました。というわけで5パターンあったのですが、たまたま私の回が収録され映像として残っているので、今でもその時に演じた貧乏神のびんちゃんをファンの方々が愛してくださり、「びんちゃん」と呼んでくださる方も。私も思い入れのある大好きな役です。でも、お稽古は本当に大変でした。

びんちゃん役は5人いるので、当然比べられますし、代わりがいる状況で、ある種の恐怖を抱えながら…。決定的なことは谷先生もあえておっしゃらないので、5人みんな壁を向いてひたすら練習しているような感じでしたね。でも、この作品で経験したことは本当に大きくて。谷先生には叱られながらも、セリフをまず相手に伝えるというお芝居の基本や舞台上でのマナーなど、たくさんのことを教わりました。主役を務めていた蘭寿とむさん、愛音羽麗さんも自主的なお稽古に付き合ってくださったのですが、その時に「誰も取りこぼさない」という、主役としての居方や考え方など多

くのことを学ばせていただきました。そして、何より舞台を見たお客様が笑ってくれたことがうれしくて、舞台が心から楽しいと思えました。

2つ目の転機になったのは、『MIND TRAVELLER－記憶の旅人－』(06年)です。出た頃は反抗期だったのですが(笑)、4年目も半分過ぎて、演出の小池修一郎先生や主役の真飛聖さんなどとご一緒するなかで、自分はどういう男役になりたいかをすごく考える機会になりました。それまでは、ただ楽しく舞台に立っていたのですが、1つの役を作ることの楽しさと奥深さをこの作品で知ったんです。真飛さんは自分をプロの役者として扱ってくれて、お芝居について様々な話をさせていただきました。また、演じたのはエディという役でしたが、小池先生は「彼はどんな匂いがするの?」「その癖はどうして?」など、1つひとつ突き詰めていかれるんです。それまでは役の側だけを作ってそれらしく見せていたのを、「でも、演じるってそうじゃないよね?」と言われたような気がして。お芝居への考え方や取り組み方が根本的に変わりました。

宝塚では、7年目までの生徒だけで行う新人公演というものがあるのですが、当然新人公演を卒業するタイムリミットが迫ってくるので、どうすれば主役に選んでもらえるか、自分はどういう男役なのか、武器は何か――やりたいものやなりたいものへの執着心はあるものの、その時期は落ち込むことも多くて、悔しい思いもしました。その時に知ったのが「人のせいにしない」という言葉。どこで知ったのかは覚えていないのですが、その言葉にハッとさせられ、自分にとことん向き合うことで自信が生まれていきました。そうして自分自身の準備が整い、入団から6年目という最後のタイミングに、『太王四神記 ―チュシンの星のもとに―』(09年)で初めて新人公演の主演を任せていただいたんです。チャンスが巡ってくるときは、やっぱりそういうものなんだなと思いましたね。

次は宝塚バウホール(※)で主演したいという夢が生まれましたが、実現するまでには3年かかりました。私の宝塚人生は、いわゆる順風満帆ではなく、本当に1歩1歩進んでいきました。

その頃はタカラジェンヌというだけではなく、役者としての意識も強くなっていて、男役どうこうではなく役者として「望海にこの役をやらせたい」と思わせたい、という気持ちがありました。その時出合ったのが、『BUND/NEON 上海』(10年)の劉衛強(りゅうえいきょう)役です。暗い過去を持つエネルギーのある役だったのですが、その悪役ではないけれど決して善人ではないアウトローな役柄が、思いがけず男役・望海風斗の個性になっていきます。映画『パブリック・エネミーズ』のジョニー・デップの演技が素敵で、目線の動かし方など劉衛強に生かしたりしたのですが、演じていてもとっても楽しくて、お客様にもいい反応をいただけて、間違いなく1つの転機になりました。『オーシャンズ11』（13年）のテリー・ベネディクト役などもそうですが、決して宝塚の王道のカッコいい男性ではないけれど、彼らの人間味、人間くささに引かれますし、好きですし、演じていても本当に楽しかったです。でもそれは、私だけが感じていたわけではなく、お客様もそういう望海風斗が見たいと思ってくださり、演出家の方もやらせてみたいと思ってくださったからこそ、『アル・カポネ―スカーフェイスに秘められた真実―』（15年）では、実在したギャングのアル・カポネを主演として演じさせていただくことにつながったと思うんです。

そして『ドン・ジュアン』（16年）に出合って、自分が男役として追い求めていた個性を多くの方に認めていただけたのかなと感じています。

14年に花組から雪組に異動、17年雪組トップスターに就任

12年間在籍した花組から、雪組に異動したことも大きな出来事でしたね。なかなか他の組の人と交流する機会がないので、なじめるかどうか不安は大きかったです。でもいざ合流したら、雪組のトップである早霧せいなさんがそういう枠がない方で、自然体で受け入れてくださって。そして、お芝居になるとものすごい集中力で、冷静かつ客観的に全体を見てアドバイスをくださるなど学ぶことがとても多く、勉強させていただきました。なかでも、『星逢一夜（ほしあいひとよ）』（15年）は忘れられない演目です。源太役として早霧さん演じる紀之介と真正面から向き合い、お芝居で心を通わせることの面白さと同時に、怖さも知り。心の底からお芝居が楽しいと思えるようになりました。

あと、意外だったのが、花組でやっていたことが、雪組では個性になったことです。宝塚は5組ありますが、雰囲気だったり代々引き継がれているものが、少しずつ違うところもあるんですね。それで言うと、雪組のなかで、私の男くささや熱さを重視した芸風は、トーンが違ったと思うんです(笑)。でも、それをファンの方たちも面白いと思ってくださって、個性として受け入れてくれたのはうれしかったです。

トップになってからは、フランク・ワイルドホーンさんに曲を書き下ろしていただいたミュージカル『ひかりふる路（みち）〜革命家、マクシミリアン・ロベスピエール〜』（17年）に始まり、下級生の頃からずっとやりたいと願っていたミュージカル『ファントム』（18年）もやらせていただいて。『ONCE UPON A TIME IN AMERICA』（20年）では、映画でロバート・デ・ニーロが演じたヌードルスとして、男役の集大成とも言えるものをみなさんにお見せすることができたと思っています。本当に関わらせていただいた作品はどれも印象に残っていますし、大切な役ばかりです。

退団公演の『fff ―フォルティッシッシモ―』（21年）では、ベートーヴェンの楽曲や人間としての力から私自身も勇気をもらって、あのエネルギッシュな舞台を全力でやり切れたことは生涯の宝物ですし、悔いはないです！

人とのつながりのなかで成長

宝塚ではいろいろな経験をさせてもらいましたが、思い返すと、本当に人との出会いが大きかったなと思います。人と人とのつながりというんでしょうか。組の仲間も、スタッフさんや演出家の方々もほぼ同じ職場の人で成り立っている世界。振付家の方など外部から来てくださって新しい出会いもあるんですけれど、それでもやっぱり「宝塚のために」と動く人たちとずっと仕事ができたことはとても幸せなことで、人の温かさできっと居心地が良かったんだろうなと思います。

退団公演でも1番感じたのはそのことでした。卒業はファンの方にとって1つの区切りでもありますし、自分にとっても一生に1度の大切なもの。それが、そのタイミングでコロナ禍になってしまって。本当にたくさんのことを考えました。でも、そのなかで周りの人たちが最善を尽くしてくださったことで、最後にまたさらに人の温かさや、何かこう胸が締めつけられるような気持ちを知って。退団という最後の時に、人の優しさの集大成といいますか、総集編みたいなものが押し寄せてきたんです。自分が幸せに退団することが、協力してくださった方やファンの方、みなさんに対しても恩返しになるのかなと思いました。退団公演期間のことは忘れられないですね。

この時期に退団するのはすごく大変だろうし、かわいそうだなと思われたことがあったかもしれません。でも、逆にそうでなければ気づけなかった面もあったので、それらも全て含めて、素敵な宝塚人生だったなと思える最後にしていただいたと感謝しています。
今はもう「宝塚でトップをやってたんだなあ…」って、遠い出来事のような、人ごとみたいな感覚もあるんです。でもそれは、あの世界に入り込んでいたからこそだと改めて感じています。本当に人生を色濃くしてもらった18年でした。

（『日経エンタテインメント！』２０２２年５月号掲載分を加筆・修正）

※宝塚歌劇団の専用ホールで小規模の公演を行っている。座席数は５２６席。

#03 対談 × 水野良樹（いきものがかり）

いきものがかりも宝塚もエンタテインメントという意味では同じ

望海風斗が以前からファンを公言し、人生の節々でその音楽に支えられ、背中を押してもらったと語るいきものがかりのメンバー・水野良樹との対談が実現。音楽への向き合い方や考え方、エンタテインメントの在り方までを語ってもらった。

みずの・よしき
1982年生まれ、神奈川県出身。いきものがかりのメンバーとして2006年にメジャーデビュー。19年に主宰プロジェクトHIROBAを立ち上げ、小説家の重松清らが詞と小説を手掛け、水野が作曲した楽曲を収録した『OTOGIBANASHI』（講談社）を発売。22年には清志まれの筆名で小説家デビューを果たした。

2006年にいきものがかりとしてメジャーデビュー後、グループのソングライターとして『SAKURA』や『ありがとう』など数多の大ヒット曲を作詞・作曲してきた水野良樹。近年はソロプロジェクト「HIROBA」を立ち上げ、小田和正らアーティストだけでなく、小説家や役者らともコラボレーションして楽曲を発表するなどジャンルレスな活動を続けている。また、21年には古田新太×尾上右近主演のミュージカル『衛生』で音楽を担当し舞台音楽へも進出。宝塚歌劇団を退団し新たなフィールドに踏み出したばかりの望海と、現状に満足せず挑戦を続ける水野。ともに〝音楽〟を愛する2人の初対面は、お互いへのリスペクトがあふれる時間となった。

エンタテインメントの真髄

望海　宝塚時代は本当に、いきものがかりさんに支えてもらって。今回こうしてお会いできて、そう見えないかもしれないですけど興奮しています(笑)。

水野　いきものがかりの初代マネジャーが宝塚の大ファンで、「とにかくエンタテインメントは宝塚を見ろ」と言われ、まだ学生だった頃に日比谷で観劇したのが僕の初宝塚だったんです。どう夢を見せるか、お客さんに楽しんでいただくか、どれだけステージでちゃんと作ったものを提供するのかというプロ意識みたいなものを、宝塚を参考にしながらマネジャーが語っていたのをすごく覚えていたので、今回自分の名前を出していただけたことは、最初はすごく驚きました。

望海　いきものがかりさんで1番聴いていたのは『帰りたくなったよ』です。自分が悩んでいるときにあの曲を聴くと、「あっ、そうだ。帰る場所はあるから大丈夫だ」と思えると言いますか。すごく背中を押してもらえて、前向きになれるんですよね。よしっ！　また頑張ろうって原点に戻って元気をもらって、もう1回次に行こうと思える大きな存在で、それこそ車を運転してるときもずっとかけてるくらいです。

水野　ありがとうございます(笑)。

望海　吉岡（聖恵）さんの声と水野さんの歌詞が合わさったバランスというか、言葉がすごく優しくて、そこがすごく好きなのですが、作詞するときに言葉についてはどんなことを意識されているのですか。

水野　10代で始めた頃はあまり意識もしてなくて。むしろ思春期なので、自分がどんどん表現したいという気持ちが強かったんです。でも、事務所に入ってアドバイスしてくれる大人も増えてきたときに、「女性ボーカルなんだから女の子の恋の歌を書きなさい」って言われたんですよ、ストレートに。まだ青かったので「それはイヤだ」って思って。

望海　分かります(笑)。

水野　突っぱねながらも一応言うことを聞いて書いたのが『コイスルオトメ』。自分自身とはすごくかけ離れたものでしたが、それが10代の女の子に「なんで私のこと分かるんですか」みたいなことを言われて、そこで「あっ」と思ったんです。自分のことを書くよりも、聴いてくださる方が自分の感情を重ねたりとか、先ほど「帰る場所がある」と話してくださいましたけど、故郷だったり大事にしている考え方に戻るとか。そういう、自分のこととして聴いていただけるほうが、もしかしたら曲は広く刺さっていくのかなって。そこから、自分のことではなく、聴いていただいたときにどれだけみなさんが思っていることにリンクできるかな、というのをすごく考えるようになりました。

それがたまたま吉岡のあの声と、彼女は割とフラットに歌うというか、どうだ！　吉岡聖恵だぞ！みたいな感じじゃなくて(笑)、本人もよく言うんですけど、ナレーターのようにというか、物語をそこに置くように歌いたい、というようなことを20代前半くらいのときに言い始めたんですね。それと自分の考えてることがうまく合わさって、だんだんと多くの方に聴いていただけるようになったのかなと思います。

望海　刺さっていました(笑)。いつかきちんとお礼を伝えたいなと思っていたんです。

水野　いやいやいや(笑)。でも、逆に言われるんじゃないですか。宝塚時代も今も、舞台を見に来ているお客様たちの希望になっていると思うんです。人間だから調子が悪いときもあるはずだけど、舞台に立ち続けて、ある一定のラインを必ず見せるということをされていますよね。だから、そこは同じことをやっているのでは、と思います。

望海　そうですね、それは大切にしたいという思いはあります。水野さんがおっしゃったように、舞台も役や物語を通して観客1人ひとりの人生にどう寄り添えるか…どんな形でも受け取り手のその時の状況によっても感じ方は違うと思うので、そこは私も意識しています。「これです」みたいなものを突き詰めていくより、何か持ち帰ってもらえたらいいなと思っていましたが、それってすごく大事なことで、お届けする側にとって無くしちゃいけないことなんだなと、今、水野さんのお話をお聞きして改めて感じました。

水野　多分、いろいろな考え方が作り手側のほうにも届ける側の人にもあると思うんですけど、大きくくくると「エンタテインメント」ということだと思うんです。エンタメの人は、受け手のみなさんにある程度自由に受け取ってほしいというか、自分なりの楽しみ方をご自身でも見つけられるようにしたいという気持ちを、どこか持ってると思うんですよね。これがアートやメッセージとかになるとちょっと違うのかもしれないけれど、いきものがかりはエンタメのグループだし、宝塚も長い歴史があるなかでやっぱり人々を楽しませるというところがあって、そこがすごく近いんじゃないかなと思います。いかがですか。

望海　本当にそうだと思います。今、『ＩＮＴＯ ＴＨＥ ＷＯＯＤＳ』という舞台をやっているのですが（取材時）、そのなかで「私、やっぱりエンタテインメントが好きなんだな」と思ったんです。何かメッセージが強いものをガンッというよりも、多くの人が来て、「良かった、楽しかった」と自分の人生に何か幸せを持ち帰ってもらいたい。そういうエンタメの部分がすごく好きなんだなと、ここ最近舞台に立ちながら考えていたので、もっともっとたくさんの人に喜んでもらえるものをできたらいいな、と考えています。

あと、宝塚時代に1回だけ作詞をしたことがあるんです。でも、つたない言葉しか出てこなくて。それ以降は「本当に才能がないから無理です」と断ってきたのですが、お話を伺って、自分のことじゃなくて聴いてくださる方の…という意味で言葉をつなげていくってすごく素敵だな、ちょっと挑戦してみたいな、と思いました。

水野　その詞、ください（笑）！

望海　書かないです！

水野　返答が早い早い（笑）。でも難しいですよね。吉岡はずっと僕と山下（穂尊。現在はグループを脱退）の曲を歌っていたんですけど、ある時期から彼女も自分で詞を書くようになったときに、自分に近過ぎて怖い、歌いにくい、というようなことを言っていました。人の曲だと良くも悪くも客観的になって、それこそ役を演じる際の気持ちに近いと思うのですが、いざ書くとなると自分の気持ちって、みたいな。それで何を書いていいか分からないとか、歌うときも距離の取り方が分からないということがあったみたいです。

望海　本当にそこは長い挑戦といいますか、いつか…です(笑)。

次のフェーズへの挑戦

望海　21年はミュージカルの曲を作られていましたし、『OTOGIBANASHI』という作品では別の方の詞に曲を付けられていましたよね。

水野　初めてミュージカルで歌われる曲を書いたのですが、ミュージカルは基本、詞が先にあって曲を作るという形。詞が先なのはそんなにやったことがないし、いわゆる歌の詞ではなくて脚本からスタートして物語があってのものなので、そこでの難しさというんでしょうか、曲単独で成立しているものではないから、普段のいわゆるポップスを作るときとは全然違いました。実際に観劇したら、古田新太さんをはじめ役者さんの肉体を通して伝わると、また全然いい意味で迫力が違って。芝居って面白いなと素人ながらすごく思いましたし、初めての体験ですごく楽しかったです。またやりたいですね。

望海　逆に私は、ソロコンサートをやらせていただいてポップスを歌うようになったのですが、発声もリズムの取り方も全然違うんだなって。今までも、宝塚のショーで流行（はや）りの曲を歌うことはあったのですが、役名があったので、自分の名前で全部やるというのはどうしていいか分からなかったです。すごくいい意味で、役名があると自分ではないので無責任なんです。でも、自分の名前だとどうしても別の責任が伴う気がして、どこかで何かになりたいというか。こんなに大変なんだな、と思いました。

水野　なるほど。

望海　でも、自由な部分もありました。その日の状況やお客様の顔を見て、今日はこのくらい優しいほうがいいかなとか、ちょっと強くいってみようかなとか。それは役じゃないからできるんだなと感じました。実は、最初はちょっと恥ずかしかったんです（笑）。これ大丈夫だったかな？って。同じステージだと思っていたけれど、全然違うんだなと実感しました。

水野　歌を歌うにしても見える景色が全然違うんでしょうね、面白いな。でも、今は楽しいだけなんじゃないですか、新しいことがどんどん始まっていくというのは。不安もあるでしょうけど。

望海　宝塚を辞めてからまだ1年たっていないので、全てが新鮮です。

水野　未来が広がっていく感じですね。

望海　肩書を1個置いて、ちょっと身を軽くして――。なかなかこの年齢になって経験できる人は少ないだろうなと思います。毎日新鮮な驚きがいっぱいあります。空気ってこんな味がするんだ、みたいな。この世界はこんな色をしてるんだな、みたいな(笑)。

水野　はっはっはっは(笑)。

望海　大げさに言えばそんな感じなんです。全てが。

水野　別にこじつけるわけじゃないんですけど、いきものがかりも退団したやつが1人いまして、今新しいフェーズに入って僕らもワクワクしてる部分があるんです。吉岡と新しい関係性が始まっていますし、「これから40代50代をどう作っていこう」という希望があるんですよね。今まで聴いてくださった方もこれから聴いてくださる方も、「いきものがかりって面白いグループだね」と思ってもら

えるように頑張っていきたいのが1つ。面白いグループ、面白いソングライターだよね、と思ってもらうためには自分が成長しないといけなくて、HIROBAもですが、違う分野の方と作るとやっぱり刺激や気づきがあるので、それをどんどん自分の中に取り入れて、自分を変化させていきたいなというのが今のモードではありますね。ぜひ、いつか作品をご一緒させてください。

望海　本当ですか！　楽しみです。

水野　僕らはいつでもウエルカムなので(笑)。

望海　それは両手を上に挙げて喜びます(笑)。いつかぜひ！

（『日経エンタテインメント！』2022年4月号掲載分を加筆・修正）

#04 対談

×凪七瑠海（宝塚歌劇団）

舞台生活20年目。まだまだたくさんの役に出合いたい

望海風斗が在籍した宝塚歌劇団の89期生の同期・凪七瑠海（宝塚歌劇団／専科）をゲストに迎えたスペシャル対談。苦楽を共にし固い絆で結ばれた2人が語る舞台人としてのこだわりとこれからとは。

なぎな・るうみ
11月11日生まれ。東京都出身。2003年に宝塚歌劇団に入団。宙組、月組を経て、16年から専科へ。23年は、ミュージカル・プレイ『激情』―ホセとカルメン―、ネオ・ロマンチック・レビュー『GRAND MIRAGE！』（花組 全国ツアー公演／11月17日～12月12日）などに出演予定。

現在、帝国劇場で上演中のミュージカル『ガイズ&ドールズ』に出演中の望海風斗（取材時）。ニューヨークいちのショーガールとして華々しく生きる一方で、14年間婚約したままの恋人との関係に悩むアデレイドを変幻自在な芝居と歌で演じ、観客を魅了している。

そんな望海が舞台人として最初の1歩を踏み研鑽を積んだ宝塚歌劇団の同期で、今も同歌劇団のスペシャリスト集団・専科に在籍する凪七瑠海との対談が実現。宝塚音楽学校での出会いから21年――89期として入団した49人のうち、劇団に残るのは凪七1人となった。貴重な機会となった今回、久しぶりの再会に終始笑いが絶えず、リラックスした様子で対談は進んだが、途中凪七の目からは涙がこぼれる場面も。宝塚の内と外、立場は違うが宝塚愛、そして舞台への熱い思いにあふれた時間となった。

――まずは、2人が出会った頃のお互いの印象を教えてください。

凪七　すごく遡るね(笑)。21年前だもんね。

望海　ね！　でも、最初は（入団前の）音楽学校の受験のとき。まだ2人とも髪が長くてお団子頭でしたが、すごくきれいなかわいい子がいて「こういう人が宝塚に入るんだ…」って思った人がカチャ（凪七の愛称）でした。あと、控え室で宝塚のスターさんのモノマネをやっていてすごく目立ってた(笑)。

凪七　やってたね(笑)。でも受験のときから知ってくれてたんだ。

望海　初めて言った？　この話。

凪七　うん、知らなかった。私は入学したときかな、あやこ（望海の本名）の存在を知ったのは。もうこの透き通る肌とこの美！　やっぱりこういう子が受かるんだなと思ってた、私も。歌声も素晴らしいし。それに入ったときからあやこはしっかりしてたんですよ。あっ…入ったとき〝は〟かもしれない(笑)。プラスこの落ち着いた見た目だから、学級委員長みたいな感じだったんです。

望海　あの時が1番ちゃんとしていたね。カチャとは音楽学校を卒業して宝塚に入団したときに入った寮でも同じ階で。下級生のときは時間がけっこうあったので、お稽古している人たちが帰ってくるまでに時間のある人たちが料理を作って一緒にご飯を食べたり、同じ階の子たちで集まって話したりとか、よくしてたよね。

凪七　そうだったね。よく思い出したね。楽しかったよね。

望海　すごく覚えてる。あの時ビーフストロガノフっていうものを知ったんだもん。何だそのおしゃれな名前の食べ物は、って。初めて食べておいしい！みたいな(笑)。

凪七　同期が50人近くもいると、濃密に関わる人と、所属する組が離れてそうではなくなってしまう子がいるんですけど、あやことはお互いの公演も見に行って「あそこが良かったよ」

とかアドバイスし合ったり、仲が良くて。

望海　最初の頃は出番が少ないので、舞台に出てくるだけで感動してしまって。セリフしゃべった！とか、銀橋（ぎんきょう）（※）に出てきた！とか。でも上級生になってからは、男役さんのこの場面の髪型が気になったよとか、衣装のこととか。あの場面のあそこのガヤが、みたいな。お互いのことだけじゃなくて、客席から見た舞台全体のことを客観的に「こう見えてるよ」ってちゃんと言い合えることができたのもうれしかったですし、本当にカチャがいてよかったなと思います。ちなみに母親同士もすごく仲がいいんです。2人でお茶しているとか、ご飯食べているとかしょっちゅう聞くよね。

凪七　2人ともが知らないお互いの母親事情を知っていたりね(笑)。

望海　でも本当に、同期って何て言うんでしょうね。全てというか。良い時も悪い時も常に一緒に過ごしているから…。最初に連帯責任ということをすごく学ぶんですけれど、だからいい格好できないんですよ。そんな余裕は全然なくて。しかも、人を思いやる余裕すらないときをみんなで過ごしているので。

凪七　究極の状態をさらけ出しているし、見ているし、それを受け入れているし。本当に全てを受け入れているよね。親にも見せていないところまで。

望海　自分も知らなかった部分とかね。生まれて初めてあんなに窮地に追い込まれているから、つくろいようがないんです。

同期でお互いの舞台のファン

――舞台人としてはお互いをどう見ていましたか？

凪七　私は大ファン。

望海　私も大ファン。

凪七　それはオフも含めての大ファンかもしれない。人となりが全て舞台に表れているんです。技術面の高さはもちろんですが、それ以外の部分が本当に素晴らしいので、そこを含めて素敵だなと思いますし、尊敬できる。

望海　そのままお返ししたいです。本当に音楽学校のときから宝塚や男役への情熱や熱量が何年たっても変わらないし、むしろ愛が深まっていて、話をすると宝塚にいて良かったな、男役大好きだなって改めて思わせてくれる存在なんです。一緒に昔の宝塚の映像を見て泣いたりもできる人。舞台を見に行くと、男役へのこだわりをずっと無くさず持ち続けているから刺激ももらうし、私ももっと頑張らなきゃ、と思わせてくれる。ダンスにも男役の美学が詰まっていて本当にカッコいいんですよ、カチャは。

凪七　ありがとう。

望海　男役へのこだわりを聞いてもいい？

凪七　それはすごく難しいんですけど、でも、踊るときも含め全てに通じてるのは、〝劇場を包み込みたい〟そういう感覚なんです。下級生のときは自分の存在を大きく見せようと思っていましたが、でもそうすると逆に小さく見えちゃうんですよね。だから、自分の存在はちっぽけでいいのかもって最近思うようになって。そのぶん、想像力をたくさん膨らませて自分の世界観を大きく持つ。そして絶対に周りの方や相手役さんが自分のことを素敵に見せてくれているので、みんなで素敵に見えたら倍！って(笑)。自分だけ頑張ろうとしても、「あの人頑張ってるね」で終わっちゃうから。みんなで輝けばこの舞台がよりすごいものになる、だからみんなで輝こう！という気持ちが強いですね。

望海　カチャの舞台で印象に残っているのは、やっぱり『パッション・ダムール―愛の夢―』(20年)かな。バウホールでやったコンサート。

凪七　ありがとう。

望海　雪組の下級生も一緒に出させてもらっていたのですが、舞台稽古を見てあまりにも感動して、もう1回ちゃんとお客さんが入った状態で見たいと思って見に行ったんです。男役へのこだわりもそうだし、カチャ本人ももちろん素晴らしいんだけど、そのカチャの後ろにいる下級生たちが、こういう男役をやりたいとか、今がすごく楽しいとか、そんな思いも含めて、みんながカチャの背中を見て「宝塚にいてよかった」と思っているであろう、そういう気持ちが伝わってきたんですよね。それが表れている舞台を見られたことも、すごくうれしかったんです。雪組の下級生たちに、素敵な影響を与えてくれてすごくうれしいなあという感謝もありましたし、感動しました。またそれを、宝塚を辞める前に見られてよかったなと思いました。

実は、その日は当初、私が退団する日だったんです。それがコロナで延びてゲネを見られたんです。それも巡り合わせというか。まだ自分も1つ作品が残っているなかで見て、男役をこだわり抜いて辞めたいなという気持ちになったのを覚えています。

（——話を聞いていた凪七の目から涙がこぼれる）

望海　涙拭いて～（そっとティッシュを差し出す）。

凪七　あやこの舞台はどの作品も感銘を受けて感動するんですけど、やっぱり最後の作品。『fff —フォルティッシッシモ—』の、あのベートーヴェンが憑依している感じは忘れられないです。出てきた瞬間から泣いたって言ったよね。男役としての望海風斗のこれまでの全てが詰まってました。

望海　そう言ってもらえてすごくうれしかったです。

凪七　次にまた雪組に出るのに、あやこはもういないじゃんって今、ふと思ったら、また涙が…（泣き笑）。

望海　初めて共演した『壬生義士伝』とショーの『Music Revolution!』（19年）は楽しかったよね。

凪七　本当に！　それまでは（望海の）舞台姿を客観的に見るだけだったので、いつか絶対に作品を作っていく段階を見てみたいとずっと思っていたんです。どんな熱量で、どういうことに興味を持って、どういう役作りの仕方をしているのかとか。それを間近で見られたのがすごく刺激的でしたし、本当に幸せな日々でした。

望海　あの時は、下級生が「カチャさんがいてよかったですね」って言ってくれた（笑）。すーっごい楽しそうですって。

凪七　私もその声をすごくもらったの。組の子たちが家族のように、「望海さんが楽しそうです、ありがとうございます」って。それがすごくうれしかったです（笑）。

望海　でも、お芝居では絡みはなくて（笑）。カチャが青の衣装を着てた『Music Revolution!』のフィナーレの踊りは、粋さが本当にカッコ良かったなあ。肩がグッと入った感じとか、そういうところに男役の美学を感じました。それは多分ずっとやっていることだから、本人的には言葉にするのが難しいというか、「これにこだわってます」という話じゃないと思うんですけど。自分の見せ方を分かったうえで、いただいた振りを自分だったらどうおいしくアレンジするのか。そこで手を抜かない。そこがカチャの素敵なところだなと改めて思いました。私だったら男役としてこうする、というものをしっかり持っていて、しかも衣装も考えて計算しているのは、袖で見ていても分かりました。

凪七　それが宝塚のいいところだよね。それぞれが自分の欠点や長所とちゃんと向き合って、自分はこの角度でやったらカッコ良くなるというのを研究して、それを形にできたら舞台で見せてもいいよって。自由にやっていいよって。もちろんそろえなきゃいけないところはあるし、ある程度の形や角度は決まっているんだけれど、自分のカッコいいところ

を追求して、それを披露する場を与えていただいているんです。やっただけのものが返ってくるので、ありがたいなと思います。

新しい望海の姿はいい意味で意外!?

望海　そういえば、『ガイズ&ドールズ』見てくれたんだよね。

凪七　すごく素敵だった。

望海　言わせた、みたいな(笑)。

凪七　本当にすごくお茶目でかわいかった。

望海　やったー!

凪七　男役のときから通じるものですが、彼女の役としての魂が舞台上に存在してるのが、1番大好きなところなんです。役を演じてるとは見えない、役が生きているんですよね。彼女自身と、アデレイドのチャーミングさがマッチしていて。正直、「えっ? 男役のあのカッコ良かったあやこが!?」と感じるかなって心配していたのですが、違和感がなかったのが、いい意味ですごく意外でした。

望海　でも私、音楽学校で娘役になりたいブームが1回訪れたときに、声楽の先生から「あなたは骨格的に無理よ」って言われたのをずーっと覚えていて。

凪七　あはははっ(笑)。

望海　だから、ずっと「女は無理なんだ」と思って生きていたの。

凪七　もともと何でもできるけど、才能だけでなくきっと陰ですごく努力もしてきたんだろうなって。「私、これだけやってるんです！」というタイプではなく、いつもスーッとやっていて周りに努力を全然見せないですが、そこもカッコいいですよね。でも、私は絶対に舞台を続けてほしいと思っていたけれど、退団する前にポロッと「(舞台を続けるか)分からない…」と言っていたことがあって。そのまま舞台に立ってくれて本当に良かった。

望海　気づいたら、楽しく立っていました(笑)。

デビュー20年とこれから

望海　今年で(宝塚に入って)20周年？

凪七　そうね、20年目。

望海　(インタビュアー風に)「節目の今、もっとこういう男役にも挑戦してみたいなとかありますか？」。

凪七　より人間味のある役に挑戦したいですね。苦悩する役とか、自分自身を絞り出したいというか。

望海　見てみたい。

凪七　死ぬまでに多くの感情を味わいたいというのが人生においての目標なんです。今までいろいろなジャンル、人物を演じさせていただきましたけど、最近はお芝居が好きだということもあって、女性でも男性でも1人の人物の人生を歩むのは全然変わりがないというように考えが変わってきたので、こだわらずに。でもやっぱり、宝塚歌劇だからこそのガツンとした男の人生を演じたいですし、宝塚らしいダンス場面に出たいとは思ってます。あやこはこれは課題だなとか、こうなっていきたいとかあるの？

望海　カチャも言ってたけど、女性も男性も役としてというか人間として変わらないと思うので、本当にいろいろな役に出合いたいなって。役によって知ることはたくさんあるし、それでこの1年成長させていただいたので。そして、それはやっぱり舞台で挑戦していきたいと思っています。

あとは、男役から女性に転換していくときに、声の変換はそんなに難しくないんだと男役の子たちに思ってもらえる1人になりたいという目標ができました。

凪七　またあやこの背中を見てついていく人が増えていくね。

望海　自分も怖かったというか。退団後に「この役をやりませんか」とオファーをいただいたときに、ちゃんと女性の声を出せるのか、その声で歌えるのか分からなくてはできないなと。でも、ちゃんとレッスンをやっていけば大丈夫だし、宝塚時代から意識していれば歌の幅が広がるはず。そこは、ずっと挑戦し続けたいと思っています。

凪七　男役を辞めて女性の役に戻るって、ガラッと変わる、別物と思いがちだけど、そうじゃないもんね。そこをどううまくレガート（なめらかに）に持っていくかっていう。

望海　本当にその通りで、それは伝えていきたいなと思っています。あと私ね、カチャの健康に対する諸々を少し見習いたいなと思っていて。

凪七　あはははは（笑）。

望海　それこそ外見の美だけじゃなくて、勉強もしているし、中身から人としての美を追求してるというか。それって1番大事なことだと思うけど、できないからうらやましいんです。しかもそれを自分だけじゃなくて、タカラジェンヌ、周りの子たちにも教えてあげていたり。

凪七　ファスティングの資格を取ったんですよね。最初は自分のためにと思っていたんですけど、下級生の食生活がちょっと気になっていたので。よかったらサポートするよ。

望海　私にはできないから、ぜひお願いしたい（笑）。今日は本当にありがとう。現役のタカラジェンヌさんとこんなふうに取材を受ける機会はないので、ドキドキしました。さっきも一緒に写真を撮ったときに、カメラマンさんにちょっとくっついてくださいって言われたでしょ。そのときサッと腰に手を回してくれて、それがカッコいい〜!!って思ってたの(笑)。

凪七 1年前まであなたもそれやっていたからね(笑)。

望海 いや、もう忘れたからそれがカッコいいと思いましたっ!

凪七 それを言うならあやこも、(腰に手を回しながら)こうやった瞬間にスッて懐に入ってくれたんですよ。それは私も「えっ、かわいい」と、ちょっとドキッとしました。

望海 本当!?

凪七 うん。「あやちゃん」になってたよ。

望海 そういえば、令和になった瞬間も一緒にいたよね。共演した『壬生義士伝』のお稽古中で、カチャの家で令和ジャンプしたもんね。

凪七 したね! 7、8人くらいいて3、2、1ジャーンプって(笑)。

望海 情勢が落ち着いたら、またみんなで集まりたいね。

凪七 楽しみにしています。

(『日経エンタテインメント!』2022年8月号掲載分を加筆・修正)

※宝塚大劇場と東京宝塚劇場のオーケストラピットと客席の間にある細いステージ。

#05 インタビュー

Interview

望海を形作るエンタテインメント

現在は、ミュージカルや歌でエンタテインメントを発信する側の望海だが、彼女自身はこれまでどんなエンタテインメントに触れ、心動かされてきたのだろうか。好きなアーティストから映画、俳優、今、興味があるものまでを語ってもらった。

今回は私の好きな、影響を受けたエンタテインメントについてお話しします。最も好きなエンタテインメントは何ですかと聞かれたら、やっぱり1番に思いつくのは宝塚。これはもう変わらないですが、他に子どもの頃にすごくハマったのはバックストリート・ボーイズ、スパイス・ガールズ、ハンソン――洋楽と洋画がすごく好きでした。中学生の頃は友達とよく映画を見に行きましたし、父が出張でアメリカに行くと現地で流行っているCDを買ってきてもらったり。アメリカ人の方と文通して映画の話をしたり、向こうで売っているブロマイドを送ってもらったこともありました。

両親がレコードを集めていて、小さい頃からカーペンターズなどを聴かせてもらっていたのもあって、洋楽は小学校の高学年くらいのときにはもう好きでしたね。特にバックストリート・ボーイズは歌って踊って、こんなカッコいい人たちいるんだ！みたいな。ちょっと大人でメンバーそれぞれ個性が違って本当に大好きでした。お父さんになられたみなさんの情報をいまだにチェックしています(笑)。

振り返ってみると、グループ独特の仲間への憧れもあったのかな、と思いますね。個性の違う人たちが音楽を作ることを通して1つになっていく。宝塚もそうですけど、刺激し合ったり、ぶつかったりしながら一緒に成長していく、本来は見せない〝過程〟を見せてもらえるのがすごく楽しくて。今オーディション番組がたくさんありますが、それを見たりもします。SKY-HIさんの人柄や音楽への愛情とか、志みたいなものに感動して、BE:FIRSTさんが出てくると見るようになってしまいました

(笑)。音楽のジャンルにはこだわりはなくて、ポイントは「この声好きだな」と思う人。バックストリート・ボーイズではニック・カーターが好きだったのですが、その理由も声でした。BTSも『Dynamite』を初めて聴いたときにすごく声が印象的で、魅力的だなと思ってそこから聴くようになったんです。

洋画も子どもの頃から家族でよくビデオで見ていたんです。映画というよりは役者さんで作品を選んで見ていたのですが、当時ブラッド・レンフロがすごく好きで、レンフロが出ている『マイ・フレンド・フォーエバー』という2人の少年が旅をする映画があまりにも好き過ぎて、中学の文化祭のクラスの出し物は「『マイ・フレンド・フォーエバー』のお芝居をするんだ」って、私の意見で劇をしたり(笑)。お母さん役をやらせてもらったんですけど、懐かしいです。好きになると周りが見えなくなってしまうところはあります。

映画は今も好きで、最近はドキュメンタリーの『オードリー・ヘプバーン』を映画館で見ました。宝塚に入ったときに、上級生の方から「古い映画をたくさん見たほうがいいよ」と勧められたんです。古い洋画から、男性のしぐさだったり、目線だったり、色気だったりがすごく勉強になるからと。それで洋画をたくさん見ていました。

もちろん、日本の映画も見ますし、面白いと聞いたら映画館にも行きます。

今は仕事とは切り離せない

テレビも見ます。役者さんでは満島ひかりさんと永山瑛太さんが好きです。『カルテット』『最高の離婚』など、気になったものは一通りチェックしています。

作品として楽しむこともちろんしますけど、やっぱり最近は仕事とは切り離せない部分もあります。「このお芝居すごいな」と思うと、何がすごいんだろうって見てしまったり。どうやってこの役と向き合って、どう作っているんだろうということにはとても興味があります。舞台とは芝居の在り方がまた違うと思うので、本当に尊敬します。

小説も原田マハさんにハマったりもしましたが、基本何か役作りのヒントになる本を探して書店に行くことが多いです。平野啓一郎さんの『空白を満たしなさい』は、対人によって自分って変わるんだなということに気づかせてくれた1冊。それまで役作りを一色にしていたのを、人間の多面性の部分ですごく影響を受けて、そこから役作りが豊かになったということもありました。

あと、ファンの方は知ってくださっていると思いますが、フィギュアスケートも大好きです。でも、エンタテインメント色の強いショー的な部分よりは、試合での真剣勝負の、あのヒリヒリ感がすごく好き。試合の緊張した客席をどうやってほぐして一体感を作るのか。1対審査員、そして観客が360度いてその人たちを巻き込むって相当な集中力とエネルギーが必要だと思うのですが、巻き込まれたときの感動と興奮が忘れられなくて、また試合を見たいと思ってしまいます。

羽生結弦選手の生き様には、自分の人生や仕事への考え方の面でも勉強させてもらっています。（当時の）私にないものをすごく持っていらっしゃったんです。ソチオリンピックのシーズンの頃、ちょうど自分がこの先これ以上伸びるのか伸びないのか悩んでいて、「どうしていけばいいんだろう」と感じていたんです。そんな時、羽生選手が成し遂げていく姿を見て、単純に「すごいな」と思ったのが最初でした。そこから遡っていろいろな記事を読んでみたら、夢を成し遂げるためにちゃんと計算して、今自分は何をするべきかということを考えながら、ずっとオリンピックの金メダルを目指してやってきている過程を知ったんです。その向き合い方を見たときに、私はまだまだ甘かったなと。そこから舞台に対して楽しいだけじゃダメなんだということを学びましたし、先の目標のために今するべきことにきっちり向き合う意識が強くなりました。男気ってこういうことなんだなというのも、羽生選手が教えてくれたことです。

エンタテインメントに触れるときは、ただ楽しいというよりは、自分の中に何かを吸収していく、それについてすごく考えるということをしているのかもしれないって、改めて感じました。意識したことはなかったのですが、きっとそうなんでしょうね。答えを出すために考えたりはしなくって、あれこれ考えている、そういう時間が多分好きなんです。

今は、玉置浩二さんのフルオーケストラのライブに行ってみたくて。（会場の）空気を生で感じたいんです。劇場やコンサートに行くのは、パフォーマンス側とお客さんが感動を分かち合う瞬間を体感したいから。ジルベスター・コンサートのカウントダウンの瞬間も生で味わってみたいですし、バレエダンサーのセルゲイ・ポルーニンさんのダンスも見てみたい。時間ができたらミュージカルや宝塚を見に行くことが多いのですが、ちょっと違うジャンルのものにも触れたいなと思っています。

（『日経エンタテインメント！』２０２２年９月号掲載分を加筆・修正）

PART. 2

音楽への新たな挑戦

#06 インタビュー

Interview

望海の核である「歌」。ソロコンサートに託す思い

東京国際フォーラムを皮切りに全国4カ所を回る自身2度目となるソロコンサートツアー「Look at Me」を10月からスタートさせる望海風斗（22年、取材時点）。宝塚退団後『ガイズ&ドールズ』など3本のミュージカルに出演。舞台での新たな経験を経て挑む今回のコンサートでは、どんな望海の姿が見られるのだろうか。

アデレイド役で出演したミュージカル『ガイズ&ドールズ』が、（22年）7月末に博多座で大千穐楽を迎えました。コメディは久しぶりでしたし、ブロードウェイの昔

ながらのグランドミュージカルに挑戦できたことも、とてもうれしかったです。また、(井上) 芳雄さんをはじめ今までずっと舞台を拝見していた方との共演というのは、いろいろな部分で刺激的でした。

アデレイド役を演じるのは本当に楽しくて。今まで自分がやってきた役は割とテーマがあったり、重たいものを背負っている役が多かったんです。でも彼女は少し違い、たくさんのキャラクターがいるなかで起爆剤でもあり、ちょっと強烈なキャラクター。作り込んで演じるというよりも、その日その日でいかにエネルギーを放出するかが大切な役だったので、そういう意味では何も考えずというか(笑)。毎日客席や舞台上のキャストのみなさんが作り出す空気のなかで、楽しんで舞台に立たせてもらっていました。演じることで自分の新たな一面も知ることができ、充実した時間でしたね。

演出のマイケル (・アーデン) との出会いもすごく大きかったです。役者でもあるマイケルからは、お芝居のなかで大切にしなきゃいけないことをたくさん教えてもらいました。例えば今はコロナ禍でキャスト同士もなかなか顔を合わせられない状況ですが、毎日円になってみんなの顔を見てからお稽古を始めるとか、ある種諦めていたことを諦めずに、マイケルは心を通わせることに時間を惜しまなかったんですね。やっぱり作品というのは、みんなで協力して作っていくことが1番大事なんだということを改めて思い出させてくれました。

お芝居に関しても、公演中にどんどん変わっていってしまうというのは役者としてはありがちですが、それを毎回新鮮にリアルなものにリセットする。昨日やったことをやらない、昨日やった感覚を今日も追おうとしないというか。そこを徹底してほしいと言われていました。他にも心に残る言葉がたくさんあって、これらは今後、自分の中に生き続けてくれたらいいなと思っています。

宝塚を退団してから関わらせていただいた舞台は3本ともタイプの違うミュージカルで、それぞれ歌やお芝居で得るものがたくさんありました。『INTO THE WOODS』ではお芝居の基礎というか、セリフの大切さを学びましたし、『ネクスト・トゥ・ノーマル』は、数年後もっと経験を積んでもう1回挑戦したいなと思える作品になりました。

お芝居はもっともっと勉強していきたいなと思いますし、歌はやればやるほどできないことが増えていく――前まではそこまで気にしてなかったことが気になったり、課題はいっぱいありますね。もっともっと歌で自由に表現できたらいいなという悔しさは、きっとまだ続くんだろうなって思います。

変化と挑戦の連続だった1stコンサート「SPERO」

22年10月からはコンサートツアー「望海風斗 20th Anniversaryドラマティックコンサート『Look at Me』」が始まります。

1年前（21年）に行った「望海風斗 CONCERT『SPERO』」は、男役の発声から女性の発声、キーをチェンジしていくことをコンサートで挑戦していく、そのなかで私自身が成長していく姿も見ていただきたいと思っていました。男役から本来の自分へ変化していく過程もファンの方たちに共有したくて、衣装やヘアスタイルなども含め、変化を恐れずにチャレンジしたいという思いから、全てを考えていったんですね。結果、私も変化を楽しめましたし、ファンの方にも受け入れていただけるコンサートになったのかなと思っています。

そして「SPERO」ではもう1つ、「歌」というものをもう1度ちゃんとやり直したいという気持ちがありました。男役でやっていた歌唱は、言ってみたら自己流なんです。先生に教えてもらってはいましたが、自分の個性を出すための武器でもあったので、ある意味自己流で研鑽（けんさん）してやってきた部分が多くあったんです。こう歌いたい、ああ歌いたい、あんなふうに歌いたいを、ひたすら自分で練習して。なので、きちんとした発声を身につけたいなと思って、スタッフさんにもお願いしてレッスンの時間なども増やし、しっかりと歌と向き合う時間を作ってもらいました。歌を通して自分も先に進んでいきたいなという思いで、宝塚時代の曲からジャズやポップス、ミュージカルの名曲まで構成も考えたのですが、想像以上になんでしょう——宝塚を辞めて抜け殻になるかなと思っていたら、自分が思っていたよりも「まだまだ楽しいことがあるぞ」みたいな(笑)。「SPERO」は、もっともっと知っていけば、いろいろな可能性があるんじゃないかなと思わせてくれる1歩目になりました。

ラミン・カリムルーさんや井上芳雄さん、海宝直人さんらゲストの方には、一緒に歌うことで絶対に自分1人では出せなかった力を引き出していただきましたし、初日までに何とかしてこの歌を歌えるようになりたいという思いでボイストレーナーさんにも協力していただきました。それがちょっとずつ形になったときの喜びを知ってしまうと、やっぱり面白いんですよね。本当に歌は面白いです。

「SPERO」は約2カ月間の公演でしたが、できないことに挑戦していくのは楽しいんだということを改めて感じる時間になりました。また、リハビリではないですが、一旦肩の力を抜いて、自分自身のワクワクすることに向き合っていく。そして、それに挑戦して形にしていくという経験ができた、すごくいい期間になりました。2カ月って割と長かったですが、長かったからこその発見もありましたし、初日から千秋楽まで自分自身の変化も楽しめました。じゃあ次はこうしてみたいなとか、やりたいことがたくさん出てくる状態だったんですよ。すごく刺激的なコンサートでした。

コンサートは本来の自分を見せるステージ

今回の「Look at Me」は、ミュージカルを3作やらせていただいた後。コンサートは自分が挑戦したいことに挑戦できるいい機会でもあります。歌に関してはもうちょっと高いキーを強化していきたいのと、でもやっぱり男役のときに培った低いところのキーも大切にしたいなという思いがあるので、歌の幅を広げていきたいですね。この1年で、技術面ではできるようになったこともたくさんあります。

歌い方も、男役のときの癖は減ってきていると思います。喉のトレーニング――みなさんにどうイメージしてもらったらいいのか難しいですが、インナーマッスルを鍛えるためのトレーニングの〝喉バージョン〟はずっと続けているので、見えないけれど喉のインナーマッスルはかなり鍛えられていると思います。でも、それをうまく使いこなすのはまだまだ難しくて。体の筋肉よりも指令が出せないというか(笑)。何回も何回もここだよって叩き込んで覚えさせていかないといけないので時間がかかりますが、そういうことをしていくのが大切なんだということも知りました。そして、ミュージカルでたくさんの歌を歌うなかで手に入れたものは確かにあるので、「こんなこともできるようになったんだ」と、成長も感じていただきたいです。

コンサートってミュージカルやお芝居と違い素の自分、本来の自分を見ていただける、知っていただける場所だと思うんです。お客様もミュージカルだと作品の世界観を大切にされると思うのですが、それがない、ベールがない状態で舞台に立って、今の自分がどういうことを考えていて、どういうことをやっていきたいのかを、コンサートを通してファンの方に、お客様にお届けできたら。

宝塚に在団していたときもコンサート（20年、「NOW！ ZOOM ME!!」）をやらせていただきましたが、現役当時のコンサートは全然違うものと思っていて。あれはやっぱり私だけではなく、生徒全員ありきのコンサート。前回の「ＳＰＥＲＯ」は、ファンのみなさんのなかでも一区切りというか、男役との決別みたいなものもあったと思うので、そういう意味では「ＳＰＥＲＯ」のときからより自由になった、本当に舞台を楽しんでいる今の姿を見て楽しんでもらいたいな、という思いが強いです。

ツアータイトル「Look at Me」に込めたもの

タイトルはスタッフとみんなで相談して決めました。「今の自分を見てほしい」という意味が強いのですが、ミュージカル上の役としてではなく、望海風斗という存在を見てもらいたいという気持ちも込めています。あとは、小さい頃から今に続く自分が歌や舞台に向かう原点というんでしょうか。子どもの頃、家族の前でよく歌を歌っていたのですが、どうしてかというと、両親に私を見てほしいという気持ちからだったんですよね。そういう子ども時代を経て今があるということを振り返っていくなかで、その核となる部分、これからも変わらないであろう部分が、「Ｌｏｏｋ ａｔ Ｍｅ」

というタイトルにつながっています。

今回は、構成に放送作家で脚本家の竹村武司さん、演出には様々な舞台演出を手掛けるウォーリー木下さん、音楽監督には松任谷由実さんなどを担当する武部聡志さんと、そうそうたる方々に入っていただいています。

コンサートを通して挑戦したい気持ちは強いのですが、でもやっぱり宝塚出身で、ファンの方も宝塚時代から応援してくださっている方が多いなかで、自分から出てくるアイデアってあまり新鮮なものは出てこないんですよね。新しい扉を開いて1歩先に進みたい、恐れずに新たな自分も分からない世界に飛び込んでいきたいという意味では、すごく強力なみなさまに助けてもらいながら、想像もしなかったコンサートが出来上がっていくんじゃないかなと、今、作りながらワクワクしています。

もちろん、今まで宝塚時代から大切に培ってきたことも失くしたくないので、両立させられたら素敵かなと。お稽古中もいろいろなアイデアが出てくると思うので、あらゆる要素が合わさって、いいものにしていきたいなという思いはあります。

内容はストーリー仕立てになっていて、コンサートですが、ただ歌を聴くだけじゃない構成になっています。なんと言っても今回は〝ドラマティックコンサート〟なので(笑)! でも、見終わった後に「コンサートだった!」と思ってもらえるようなものになれば。今まで歌った曲も入れつつ、新しい歌や歌ってこなかった曲にも挑戦したいです。あと、ダンスも久しぶりに頑張りたいなと(照笑)。お稽古でどうなるのか今からちょっと怖いですが、ショーとしても楽しんでいただけたらと思っています。

あとは、それを自分が全部形にしていかなければいけないので、どこまでやれるかという挑戦になるのかなと。ポスターにも様々な表情や衣装の写真がありますが、いろいろな一面を出していきたいです。

(『日経エンタテインメント!』2022年10月号掲載分を加筆・修正)

望海風斗 20th Anniversary ドラマティックコンサート『Look at Me』

スタッフ陣は、構成に放送作家で脚本家の竹村武司、演出は「東京2020パラリンピック」開会式、ハイパープロジェクション演劇「ハイキュー!!」シリーズなどを手掛けた演出家のウォーリー木下、音楽監督にはコンサートから映画音楽まで幅広く活躍する音楽プロデューサーの武部聡志という強力布陣。22年10月20日~11月24日まで、東京国際フォーラム ホールC他、愛知、大阪、福岡で開催。

望海's Discography

お家でも電車の中でも街の中でも、いつでもどこにいても望海の歌声が聴ける。
『Canta' vivi!』連載中に配信&発売された楽曲を、
望海による制作エピソード付きで紹介。

Look at Me

作詞：ウォーリー木下、望海風斗、花れん
作曲：武部聡志
2022年10月発売

「望海風斗 20th Anniversary ドラマティックコンサート『Look at Me』」のテーマソングで、ポップで軽やかなメロディーが印象的な『Look at Me』。望海は作詞にも参加しているが、出来上がるまでには紆余曲折があったという。

「コンサートの構成の竹村（武司）さんも演出のウォーリー（木下）さんも音楽監督の武部（聡志）さんも、みなさんが初めましてのうえ、私自身も宝塚で培ったものも大事にしたいし新しい挑戦もしたいという狭間のなかで、うまく思っていることを言葉で伝え切れず、どういうものを作ればいいのか方向性がなかなか決まらなかったんです。ものすごく話し合いましたし、武部さんにも1度曲を作り直していただいたり。完成するまでは大変でしたね」と望海。

歌詞は、望海のコンサートに向けた今の気持ちをウォーリーに伝え、大元はウォーリーが書いた。「ただ自分が歌うので、せっかく作っていただいた私の曲ですし、もう少し自分の言葉で気持ちを乗せられないかなと思ったんです。実際に歌うと、ここはこういう気持ちになるからこういう言葉を入れたいな、など歌いながら考えていって、『ちょっとここはこういう表現ではどうですか』などとお伝えする形で参加させていただきました。特に"ひとりひとりのSTAGE／くじけそうになるけど／心揺さぶる何かを／やっと見つけ出したの"のあたりのフレーズは、望海風斗としての個人的な思いを最後に乗せていただいたという感覚です。

『Look at Me』は、本当にキャッチーで素敵なポップスに仕上げていただいたなと思います。でも実は、今の自分が歌うには少しキーが高くて、ボイストレーニングが必要だったんです。ですがコンサートは挑戦の場なので、オリジナルの楽曲も挑戦するものでありたいなと。コンサートでは本編とアンコールで2回歌ったのですが、不思議な感覚でしたね。本編のときは歌詞が自分自身とも重なって、みなさまへの感謝やその日の思いがあふれ出る感じだったのですが、アンコールで歌うときはただただ楽しくて。いろいろな感情を味わえる大切な楽曲になりました」（望海）。

SHOW TIME, IT'S MY LIFE

作詞:ウォーリー木下
作曲:和田俊輔
2022年10月発売

『望海風斗 20th Anniversary ドラマティックコンサート「Look at Me」』のために書き下ろされた2曲のうちの1曲。コンサートのなかでショーの始まりを告げる、華やかでドラマチックなナンバー。

「この曲もすごく好きです。コンサートのオープニングで歌う曲だったのですが、どちらかというと順番的には男役があって、『SHOW TIME, IT'S MY LIFE』、そして『Look at Me』につながっていく感覚。男役と今の自分をつないでくれる曲になりました。コンサートにおいては魅せる要素も強い曲なので、ダンスもありましたし本当にハードでした。『こんなにしんどいの〜』って(笑)。

『Look at Me』も『SHOW TIME, IT'S MY LIFE』も、レコーディングは音楽監督の武部さんがずっとついていてくださり、バンドと一緒にできたのは初めてでうれしかったです。バンドのみなさんも私がどんなふうに歌うのか知らないで録るよりも、知ったうえで演奏するのはまた違うと思いますし、貴重な経験をさせていただきました。たくさん聴いてくださいね」(望海)。

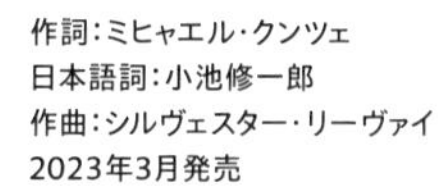

闇が広がる／ミュージカル『エリザベート』より

作詞:ミヒャエル・クンツェ
日本語詞:小池修一郎
作曲:シルヴェスター・リーヴァイ
2023年3月発売

浦井健治のアルバム『VARIOUS』に参加。ミュージカル『エリザベート』のなかの、黄泉の帝王トートとオーストリアの皇太子ルドルフによるナンバー『闇が広がる』のデュエットを披露している。

「ルドルフとトートのどちらかではなく、両方のパートを浦井さんと2人で交互に歌うのがとても新鮮でした。スケジュールが合わず一緒にはレコーディングできなかったのですが、浦井さんが先に録った歌声を聴きながら歌えたので、浦井さんの歌うトートに対してのルドルフ、ルドルフに対するトートを意識して作っていきました。でも久しぶりに低音を出すとちょっと喜びがあるというか、懐かしくてワクワクしましたね(笑)。実は最後の女性のコーラスも私が歌っているんですよ。レコーディングのときに『よかったら女性コーラスもやってもらえませんか』と言っていただいて、やったことがなかったのでぜひやりたいです! と。3声くらいあってすごく楽しかったです。舞台でキャラクターをこれだけ交互に歌うのは難しいと思うので、レコーディングだからできることに挑戦させていただけました。

私は本役ではトートもルドルフも演じたことはないのですが、『闇が広がる』はコンサートで井上芳雄さんやラミン(・カリムルー)さん、テレビでは山崎育三郎さんと、また『エリザベート TAKARAZUKA25周年スペシャル・ガラ・コンサート』(21年)でも歌わせていただいていて。これからもいろいろな方と闇を広げていけたらな、と。宝塚キーでも東宝キーでもどちらもいけますので(笑)」(望海)。

望海風斗のお仕事

Photo Memory

Stage & Music　2022.1 〜 2023.8

望海風斗のお仕事を写真で振り返る。
「Stage」では現在主戦場とするミュージカルの出演作を紹介。
「Music」では2022年秋に行われたコンサートの模様をお届けする。

Stage

宝塚退団後の初舞台『INTO THE WOODS』から『ムーラン・ルージュ!ザ・ミュージカル』まで、幅広い役柄を魅力的に演じた。

ミュージカル 『INTO THE WOODS』

2022年1月11日～2月13日まで、
東京・日生劇場、大阪・梅田芸術劇場で上演

『赤ずきん』『シンデレラ』『ジャックと豆の木』といった童話の登場人物たちのその後を、名匠スティーヴン・ソンドハイムの曲に乗せて描く、1987年初演のトニー賞受賞ミュージカル。今作は、演出家の熊林弘高によるオリジナル演出で上演された。望海は『ラプンツェル』に由来する魔女役に。1幕冒頭から派手なビジュアルと変幻自在な芝居で観客の心をつかむと、2幕では母親の悲哀と１人の魔女と呼ばれた女性の感情を丁寧に表現。そして名曲『ラスト・ミッドナイト』の歌唱まで、圧倒的な存在感を示した。

写真提供／梅田芸術劇場

ミュージカル
『ネクスト・トゥ・ノーマル』

2022年3月25日～4月29日まで、
東京・シアタークリエ、
兵庫・兵庫県立芸術文化センター、
愛知・日本特殊陶業市民会館で上演

写真提供／東宝演劇部

トム・キット（音楽）、ブライアン・ヨーキー（脚本・歌詞）による、トニー賞3部門、ピューリッツァー賞（戯曲部門）受賞の傑作ミュージカル。2013年日本初演。再演となった今回は、演出家・上田一豪の手によりオリジナル演出にて上演された。現代社会が抱える家族の絆の崩壊と再生、心の病への向き合い方を、1人の女性・ダイアナを通して描いていく本作。望海は、長年双極性障害を患いながらも、母親、妻、1人の女性として悩み、生きるダイアナを好演した。

ミュージカル
『ガイズ&ドールズ』

2022年6月9日～7月29日まで、
東京・帝国劇場、福岡・博多座で上演

1950年初演。これまでにトニー賞8部門を受賞する世界的ヒットコメディ・ミュージカルを、ブロードウェイ注目の若手演出家、マイケル・アーデンを迎えてオリジナル演出で上演。舞台は1930年代のニューヨーク。スカイと呼ばれる超大物ギャンブラーと清純で超堅物な救世軍の軍曹サラ、スカイの友人で色男のネイサンとその婚約者のアデレイド。この2組のカップルの恋と人生を、これぞミュージカルなたっぷりの歌とダンスで魅せる。望海が演じたのは、ニューヨークいちのショーガール・アデレイド。華やかなショーのシーンから恋人との関係に悩む姿、女性同士の友情、ハッピーなウエディングドレス姿まで、キュートに演じ切り強い印象を残した。

写真提供／東宝演劇部

ブロードウェイ・ミュージカル
『ドリームガールズ』

2023年2月5日～3月26日まで、東京・東京国際フォーラム ホールC、大阪・梅田芸術劇場メインホール、福岡・博多座、愛知・御園座で上演

人種差別や女性蔑視がまだ色濃く残る1960年代のアメリカのショー・ビジネスの世界を舞台に、女性たちの夢と人生を描くブロードウェイ・ミュージカル『ドリームガールズ』の日本版初演。望海は映画（06年）でビヨンセが演じたディーナ・ジョーンズ役に就き、主演として豊かな歌声とダンス、存在感で観客を魅了した。次々と変わる衣装は目にも楽しい。演出は、読売演劇大賞で優秀演出家賞を2年連続受賞した眞鍋卓嗣。

写真提供／梅田芸術劇場

ミュージカル

『ムーラン・ルージュ！ザ・ミュージカル』

2023年6月24日～8月31日まで、東京・帝国劇場で上演

ニコール・キッドマン主演で大ヒットした、2001年公開の映画『ムーラン・ルージュ』を原作にしたミュージカル。舞台は1899年のフランス・パリ。ナイトクラブ、ムーラン・ルージュの看板スターだが、病に侵されているサティーン（望海風斗）は、作曲家希望のアメリカ人・クリスチャンと出会い、恋に落ちるが――。物語を盛り上げるのは、エルトン・ジョン、マドンナ、レディー・ガガらの誰もが知る大ヒット曲約70曲。日本のミュージカルの常識を覆すゴージャスな衣装やセットも話題になった。

写真提供／東宝演劇部

24年に上演決定

ミュージカル『イザボー』

2024年1月15日～30日まで東京・東京建物Brillia HALL、2月8日～11日まで大阪・オリックス劇場で上演予定

フランス100年戦争時代に実在した、「最悪の王妃」イザボーを望海が演じる完全新作オリジナルミュージカル。演出は末満健一、音楽は和田俊輔。「完全オリジナル作品は初めてですし、歴史物も久しぶりなのでとても楽しみです。今回は悪徳の王妃役ということで、どんなドロドロとした世界が描かれるのか、また末満さんの耽美な世界観とどう融合していくのか、まだ想像することしかできませんが、しっかりと深く作品世界に入り込んで演じられたらと思っています」（望海）。

Music

2022年秋に行われた望海風斗2度目の全国ライブツアー「Look at Me」を写真で振り返る特別レポート。

望海風斗 20th Anniversary ドラマティックコンサート『Look at Me』

2022年10月20日
@東京国際フォーラムC 公開ゲネプロ

「Look at Me」は10月20日～11月24日まで、東京国際フォーラム ホールC他、愛知、大阪、福岡で開催。全25公演。東京の2公演には宝塚歌劇団雪組でともに舞台に立った彩凪翔、大阪の3公演には『ガイズ&ドールズ』で共演した浦井健治がゲスト出演した。

【BROADWAY MELODY】

『42ndストリート』『キャバレー』『シカゴ』『ガイズ&ドールズ』──傑作ブロードウェイ・ミュージカルの名曲を、セクシーに、時にカッコ良く歌い踊る望海。観客をステージに一気に引き込む。

♪Lullaby of Broadway ミュージカル『42ndストリート』より

【オープニングは最終回／OPENING】

OPはまさかのコント!? 黒縁眼鏡で地味な黒衣装を身にまとい、架空の歌番組のプロデューサー・ひかりにふんした望海。ひかりの理想の歌番組を形にする架空のショーがここから始まる。

♪SHOW TIME, IT'S MY LIFE

♪Maybe This Time
ミュージカル『キャバレー』より

♪Cabaret
ミュージカル『キャバレー』より

♪Luck Be a Lady
ミュージカル『ガイズ&ドールズ』より

【PLAYBACK SONGS】

70年代の大ヒット曲から、望海が好きだと公言する玉置浩二の『田園』、藤井風の『帰ろう』まで、日本のミュージックシーンを彩るヒット曲を望海カラーに染め上げ熱唱。今回は舞台上での早着替えにも挑戦。曲ごとにどんどん変わる衣装や髪型も楽しい！

♪田園

♪秋桜

♪君は薔薇より美しい

【LIFE】

望海が出演した3本のミュージカルとガラコンサートから選曲したコーナー。一瞬で役が憑依し、舞台上演当時の光景が目の裏によみがえるようだった。最新＆斬新な映像演出でも魅せた。

♪Children Will Listen
ミュージカル『INTO THE WOODS』より

♪ アデレイドの嘆き　ミュージカル『ガイズ＆ドールズ』より

♪最後のダンス　ミュージカル『エリザベート』より

【GOING ON】

男性のナンバー『僕こそ音楽』も、女性のナンバーのなかでもキーが高い『Don't Rain on My Parade』も自由自在に歌い上げる望海。伸びやかな歌声を会場に響かせ、心地よい余韻を残したまま本編は終了。

♪Don't Rain on My Parade
ミュージカル『ファニー・ガール』より

♪僕こそ音楽
ミュージカル『モーツァルト!』より

♪L-O-V-E

SET LIST

【オープニングは最終回】

M1 Look at Me(インスト)

【OPENING】

M2 SHOW TIME, IT'S MY LIFE

【BROADWAY MELODY】

M3 Lullaby of Broadway/ミュージカル『42ndストリート』より
M4 Cabaret/ミュージカル『キャバレー』より
M5 All That Jazz/ミュージカル『シカゴ』より
M6 Maybe This Time/ミュージカル『キャバレー』より
M7 Luck Be a Lady/ミュージカル『ガイズ&ドールズ』より

【PLAYBACK SONGS】

M8 君は薔薇より美しい
M9 ビューティフル・ネーム
M10 秋桜
M11 田園
M12 帰ろう

【LIFE】

M13 Music is My Life/宝塚歌劇団雪組公演『Music Revolution!』より
M14 Children Will Listen/ミュージカル『INTO THE WOODS』より
M15 I Miss the Mountain/ミュージカル『ネクスト・トゥ・ノーマル』より
M16 アデレイドの嘆き/ミュージカル『ガイズ&ドールズ』より
M17 A Bushel and a Peck(インスト)
/ミュージカル『ガイズ&ドールズ』より
M18 最後のダンス/ミュージカル『エリザベート』より
M19 Music is My Life(リプライズ)
/宝塚歌劇団雪組公演『Music Revolution!』より

【MONOLOGUE】

M20 Look at Me

【GOING ON】

M21 L-O-V-E
M22 僕こそ音楽/ミュージカル『モーツァルト!』より
M23 Don't Rain on My Parade/ミュージカル『ファニー・ガール』より
M24 SHOW TIME, IT'S MY LIFE

【ENCORE】

M25 DIARY-夢の宙船-/宝塚歌劇団雪組公演『SUPER VOYAGER!』より
M26 Look at Me(リプライズ)

【ENCORE】

アンコールにはツアーTシャツで登場。最後の曲となった『Look at Me』までMCなし。ノンストップの約90分に及ぶ圧巻のステージは、望海の弾ける笑顔とともに幕を閉じた。

武部聡志

（音楽プロデューサー・作曲家）

Fūto Nozomi
×
Satoshi Takebe

Special
Conversation

Cantar, vivi!

書籍化スペシャル対談

望海風斗

『望海風斗 20th Anniversary ドラマティックコンサート「Look at Me」』で音楽監督を務めた武部聡志と語り尽くすコンサートのこと、音楽のこと、そして望海の「歌」について――。

対談が行われたのは23年2月某日。コンサートぶりの再会となったが、終始リラックスした様子で、「Look at Me」での日々を振り返っていた。

武部が音楽監督を務める松任谷由実のコンサートにも足を運んだという望海。「会場全体がどんどん1つになっていくその一体感に感動して、宇宙を見ました」とその感想を語る場面も。

たけべ・さとし
1957年生まれ、東京都出身。音楽プロデューサー、作曲家、編曲家、音楽監督。ピアノ、キーボード奏者としても知られる。国立音楽大学在学中よりプロのキーボード奏者、アレンジャーとして活動を開始し、1983年より松任谷由実のコンサートで音楽監督を務めるほか、幅広いジャンルのアーティストのプロデュースを手掛ける。フジテレビ系『FNS歌謡祭』『MUSIC FAIR』の音楽監督も務めている。

歌への新たな感覚を得た「Look at Me」を経て語る今とこれからのこと

長年、松任谷由実のコンサートツアーの音楽監督を務め、今井美樹、大黒摩季、一青窈らの楽曲をプロデュース。さらにはアニメーション映画『コクリコ坂から』のサウンドトラックを手掛けるなど、音楽プロデューサー、作曲家、編曲家、プレーヤーとして40年以上にわたり日本の音楽シーンの第一線で活躍する武部聡志。2022年に公開し、メガヒットとなった映画『THE FIRST SLAM DUNK』の劇中音楽を10-FEETのTAKUMAとともに担当し、話題となったことも記憶に新しい。

望海風斗と武部の出会いのきっかけは、22年に開催したコンサート「Look at Me」。武部は音楽監督として、テーマソング『Look at Me』の制作や楽曲のアレンジなど、コンサート全体の構築に手腕を発揮。望海も全幅の信頼を置く音楽界の重鎮との対談は、どんな話が繰り広げられたのだろうか。

――「Look at Me」を振り返って、コンサートを作っていく過程で印象に残っていることや、当時感じていたことを教えてください。

望海　本当に武部さんに魔法にかけていただいたなと(笑)。もともとは私のやりたいことをベースに作っていただいたのですが、武部さんの音楽に引っ張っていただき、自分が想像していたことより遥かにいろいろなことができたなと感じています。持ち歌があるわけではなく初めて歌う曲が多いなかで、曲のアレンジだったり、リハーサルでバンドさんと一緒にやるときにも、「ここをこうしたほうがいいんじゃないか」と音楽的なアドバイスをくださったり。試行錯誤しながら私がやりやすいように、うまくコンサートが運ぶように考えてくださるので、すごく助けていただいたなと思っています。またそれを、ものすごいスピードで作っていかれるので、全速力でついていく日々でした。武部さんはいかがでしたか。

武部　コンサートとも、ショーやミュージカル、舞台とも違う、何か新しい形のものができる、そのスタートという感じがしました。僕はアーティストの方とのコンサートの仕事が多いのですが、望海さんとご一緒させてもらって学ぶべきことが多かったんです。自分が普段あまり手掛けていないような楽曲もそうですし、いわゆる音楽的なことだけでなく、振り付けやパフォーマンス、セリフがあったりとか様々な要素があるなかで音楽作りをしていく過程で、今後もっといろいろなことができるなという予感がしましたし、とてもいいものができたんじゃないかなと思っています。

僕は宝塚出身の方と一緒にステージを作るのは初めてだったんです。だから今までやってきたどの仕事とも違う刺激がありましたし、まだまだだなと思う部分もありますし、発見がありましたね。

望海　武部さんと引き合わせてくれたのは（所属事務所の渡辺）ミキ社長なのですが、「望海風斗がコンサートを行うにあたって、望海風斗の新しい扉を開くために武部さんのお力が必要」とお願いしてくださった経緯があるんですね。そこで、今までやってきたこととはまたちょっと違うアイデアをたくさんいただき、私も刺激を受け、「こんなふうにコンサートを作っていくんだな」と勉強になったことも数多くありました。そして、何よりもバンドのみなさんがものすごく楽しんでくださっていたのも印象的で。

武部　ふふふっ(笑)。

望海　リハーサルのときから、みなさんが楽しんで音楽を作っている環境に毎日いられるのはうれしくて、幸せな時間をたくさんいただきました。

コンサート「Look at Me」はこうしてできた

――「Look at Me」で望海さんだからできたことはありますか。

武部　やっぱり歌ですね。これだけの歌唱力を持った方はなかなかいないですよね。宝塚のときに歌っていた曲もミュージカルナンバーもJ－POPのカバーも、どれも自分のものにして、自分の、望海節で歌うことができる。ですから、その部分に関してはすごく安心できる。普通はもっと歌をこうしようとか考えるものなのですが、その心配は全くいらなかったです。なので、音楽的に彼女が歌いやすい、彼女に合うであろうアレンジやしつらえを考えることに集中できましたし、実力以上のパフォーマンスをできるような環境を作ることが僕の仕事だと思っていました。

望海　例えば、自分の持ち歌ではないものを自分の歌のようにコンサートではお届けしないといけないことであったり、実際歌唱の部分では難しいこともあって。本番が始まるまでは自分がどう歌えばいいのか迷うこともあったのですが、音楽部分からすごく力強いサポートを受けて、「私はまだふらついているけれど、この音楽があれば大丈夫」と思うことができました。1回目のバンドリハーサルのときに演出のウォーリー（木下）さんと自然に顔を見合わせて、「これでコンサートは大丈夫だね！」ってお互い確認して(笑)。

武部　そこで望海さんと初顔合わせだったんですよね。スタジオに向かうエレベーターのなかで「よろしくお願いします」と挨拶して(笑)。そこから音を出し始めたら、会話する以上に安心できるなとお互いに思えたのが、「Look at Me」の成功の第1歩だったのかもしれないです。演出的にも無駄をなくしていったのが今回はよかったのかなと。シェイプしていって無駄に長いソロは入れないとか、着替えの最中に謎の音楽が延々と流れるとかいうこともなく、とにかく歌に集中できるコンサートだったたと思います。

望海　でも、藤井風さんの『帰ろう』は本当に難しかったです。まず、J-POPは私の普段の発声では成立しない歌が多いということもありました。あと、ミュージカルあるあるかもしれないのですが、歌詞の情景を入れたくなってしまうんです。いかに濃くしていくか、みたいな。

武部　なるほど。

望海　そこをいかに省いていくか、シンプルに歌うことがJ-POPではすごく大切なんだなということにリハーサルを重ねる過程で気づいていったのですが、そこにたどり着くまでは「こんなに込めているのになんで歌としてうまくいかないんだろう」と。例えば、玉置浩二さんの『田園』はこれまでに何度も力をもらった本当に大好きな曲なので力が入り過ぎるあまり、その後の『帰ろう』まで息が持たなかったり(笑)。J-POPコーナー(【PLAYBACK SONGS】)の流れ的にも難しかったですし、1曲1曲もいつもと違うものに挑戦する難しさがありました。

武部　シンガーソングライターが自分で曲を書いて歌うというのとは、また違うところがありますよね。あくまでパフォーマーとして曲に取り組む際に、その歌の主人公になり切ろうとするあまりエモーショナルになり過ぎると、ちょっとtoo muchな感じがすると思うんだけど、そこをうまくストーリーテラー的にアプローチしてくれると、軽やかに曲が聴こえたりするんですよね。あまりにも思いを込めると、聴いているほうが引く場合もあるじゃないですか(笑)。

望海 そうなんですよね(笑)。

武部 でも、望海さんはJ-POPコーナーを軽やかに表現してくれたと思います。『田園』など、すごくいい感じでしたよね。あまりロックっぽくなり過ぎてもよくないなと思って、「軽快な」というのは1つ、キーワードでした。あのコーナーはキラキラッとした重苦しくないアレンジを意識して。その後に重厚感のあるコーナー(【LIFE】)が控えていましたし(笑)。

望海 武部さんが舞台稽古の最後まで、1音1音どうすればより良くなるかを考えて調整してくださる姿を見て、だからこそ、バンドのみなさんも含め、初日に向けて最高のステージが出来上がっていくんだなと感じることができました。早着替えがうまくいかなかったり、どうしても演出のほうに頭がいってしまうなかで、冷静に全体を見ていただいて。本当に感謝しています。

武部 僕らにとっては普通のことなんですけど、ミュージカルや舞台の曲は全部の楽器のパートが譜面で完璧に決まっていて動かしようのない場合が多いと思うんですね。でも、僕らがやっている音楽はその時の気分によってフレーズも違ってきます。今回も偶然生まれる何か、ミュージシャン同士のコミュニケーションによって生まれる新しい音とか、そういう余白の部分を大事にしたいなと思っていましたね。ガチガチに決まっていると出てこないマジックみたいなものが舞台上で生まれると、みんな盛り上がるし、お客様にも伝わるのではないかなと思ってやりました。

望海　「Ｌｏｏｋ ａｔ Ｍｅ」は私も毎日楽しかったですし、会場に来てくださった方にも楽しんでもらえたんじゃないかなと感じています。

シンガーとしての望海は音楽に真摯でストイック

――シンガーとしての望海さんの印象、武部さんが感じた魅力を教えてください。

武部　すごく失礼な言い方をすると、宝塚出身であることはプラスの部分も、逆にマイナスな部分もあると思うんですね。僕が今思うのは、この素晴らしい歌をもっと大勢の人に届けたい、聴いてほしいなということです。ですから、聴いてもらうためにどういうものをやっていけばいいのか。先ほどの話にあったように、新しい扉をもっと開けなければいけないだろうし、今まで歌ってこなかったナンバーや曲調にも積極的にトライしていってほしいなと思います。それで宝塚で望海風斗を知って応援してくださっている人以外の人も、望海さんの歌に引かれてコンサートを見に来るようになってくれたらうれしいなと思います。

　まず、圧倒的なボーカルスキル、テクニックを持っているんですけれど、曲によって表情を変える――これは男性のように、これは女性のように、あるいは儚（はかな）く、力強くといったことが自在にコントロールできるのは素晴らしいですよね。一本調子にならないから、コンサートを続けていっても飽きない、重ねるたびにまた新しい望海風斗が登場してくるのではないかなと期待しています。自分の歌に対してすごくストイックで、細かく調整したりもしていますし。

望海　宝塚時代に18年かけて作った男役の声が、

自分にとってはまだ1番安心できる場所ではあるんです。でもそこに頼っていては先に進めないし、もっといろいろな曲を歌うにはやらなきゃいけないことがたくさんあって、そういう意味では宝塚を辞めてから2年くらいは焦っていて。もっと何とかしたいと思って目標を高くしてやっていたんですね。でも、花れんさんというボイストレーナーにも出会えて。花れんさんが状態を冷静に見ながら、喉を壊さずうまく自分の声で広げていくトレーニングをしてくださったお陰で、音域を広げていくこともできました。

でも、まだまだ悔しいこともいっぱいあるし、男役のときは自在にできていたことが今はそうではない部分もあるので、いろいろな歌を歌っていきたいなという気持ちです。コンサートでは武部さんにも「喉、大丈夫?」と心配していただいたんですけど、どんどんチャレンジしてそれを乗り越えていかないと、自分が目指す姿になるには時間がかかるなと。それをストイックと言っていただくことも多いのですが、とにかく早く到達したいという気持ちが強くて。

武部　上昇志向というか、先を見据えてそこに向かって走っていく姿というのは、周りも巻き込みますよね。一緒にステージに立つキャストもミュージシャンも、みんな望海さんに引っ張られていく様子は、コンサートのときにも感じました。

でも、張り切り過ぎてしまうところはあるので、もうちょっと肩の力を抜いたほうがいいんじゃないかなと思うこともありましたね(笑)。

望海　(笑)そうなんです。お稽古終盤になってくると(眉間に皺を寄せ険しい顔を作りながら)こうなってくるんですよ、顔が変わってきちゃうんです、本当に。キリッとしちゃうんですよね。

武部　眉間に皺が寄って、目つきが怖くなるんです(笑)。もうちょっと楽にやろうよってね。

——どうやって力を抜いていったのですか。

望海　自分では気づいていなかったんです、そうなっていくって。「Look at Me」では武部さん、ウォーリーさん、花れんさんと経験豊富な方々が周りにいてくださって、「大丈夫だよ」という空気を作ってくれたので、途中で私1人不安になって先走り過ぎたなと気づくことができました。これはもう性格上しょうがないのかなとも思いつつ(笑)。『ドリームガールズ』のお稽古中にも1回そのモードになってしまったんですけど、でもすぐに思い出しました！　気をつけなきゃなって。そこは少し成長したかもしれません。

武部　真面目なんですよ。音楽に真摯に向き合ってくれるというのは、我々にとってはすごくうれしいし、やりがいもあるし、そういう人と出会えてよかったですね。

もっと自由に歌えるように様々なことにチャレンジ

——武部さんからご覧になって、「望海さんにこういう歌を歌ってほしいな」というのは、例えば想像レベルで何かありますか。

武部　1回ピアノと弦楽器だけというのはやってみたいですね。カバーなのかオリジナルなのかは分からないですが、上質な大人の歌。アコースティックな響きのなかで自由に泳げるような、自在に揺らぎのある世界を一緒に作れたらなあと。

望海　素敵です…！　揺らぎというか自由に、というのはあまりやったことがなくて。ミュージカルではスコアを掘り下げていくということをずっとやっているので、ぜひやってみたいです。

武部　譜面があると、望海さんは譜面を見ながらこういう譜割り、こういうリズムって律儀にやるんです。そうではなくもっと自由に、好きなようにフェイクしてみるとか。それができるようになると、もっと歌うことが楽しくなると思いますよ。

望海 アドリブは苦手なので最初は戸惑うと思うのですが…。『ドリームガールズ』でも「ここはディーナのアドリブで」など指示があるのですが、すごく考えてしまって。アドリブを事前に考えて作っていっちゃうんです。

武部 なるほどね(笑)。

望海 それはもうアドリブじゃない、みたいな(笑)。もともと得意な人もいらっしゃると思うんですけど、私は経験していきながら自分のものにしていくしかないなと。

武部 アドリブってその人の癖が出るんですよ。例えば、スティービー・ワンダーがフェイクするのはスティービー・ワンダー節だし、ディオンヌ・ワーウィックがフェイクするとやっぱりディオンヌ・ワーウィック節になる。だから、そこで望海風斗節が絶対できるはずなんです。スコアではないもの。それを身に付けると個性にもなるし…ちょっと偉そうに言ってしまいましたが。

望海 風斗節、見つけたいです。

武部 望海さんも、ミュージカルナンバーでも日によって違うアプローチをすることがあって、『Don't Rain on My Parade』ではちょっと自由な、はみ出したものを感じましたね。だから僕もあの曲は好きでした。

望海 変えようというつもりはないのですが、やっぱりやりやすいのは役と自分の気持ちがはまったときなんです。その時の「止めないで」という自分の思いと、『ファニー・ガール』というミュージカルの役の思いが歌詞とリンクしていたのかな。

武部 だから、最後のところはバンドと合わせるのに苦労したよね。

望海　そうでした(笑)。バンドのみなさんが楽しそうに演奏してくださるからうらやましくなって、もっと自由に歌いたいなとか、こう歌ったらどういう反応がバンドのメンバーから返ってくるかなとか、遊びというんでしょうか、そういう気持ちがどんどん湧いてきたのは覚えています。

武部　次にコンサートをするときには、そういう瞬間がもう少し増えているといいよね。

音楽に年齢は関係ない。これからが自分を見つける面白い時期

望海　武部さんはたくさんのアーティストの方のプロデュースをされていますし、コンサートを一緒に作っていますが、この仕事をやっていてよかったと思うのはどんなときですか。

武部　どの仕事でも僕は自分が歌ってフロントに立つわけではないので、フロントに立って歌っている人が達成感を持てて、自分が持っているもの以上のパフォーマンスができたときはものすごくうれしいです。それが僕らの仕事の1番の喜びかもしれない。

だからピアノがうまいですねとか、いいアレンジですねよりも、本当に気持ちよく歌えましたと言われるのが何よりもうれしい言葉なんです。

望海　『ドリームガールズ』のお稽古中に武部さんが音楽監督をやっていらっしゃる『MUSIC FAIR』(フジテレビ系)に出させていただいたときに、まだ役も完成していないのに劇中歌の『One Night Only』をテレビで披露するということでけっこう戸惑っていたのですが…。でも、そこで演奏で盛り上げてくださって、こんなに素敵な音楽のなかで歌えるんだと感動しまし

たし、うれしいな、楽しいなって思えたんです。緊張もしましたけど、楽しいのほうが圧倒的に上回る経験をさせていただいたのは本当にありがたかったです。

武部　そういう場、環境を作るのが仕事ですから。

望海　プロデュースをするときに1番大事にしていることもお聞きしたいです。

武部　その人の思いやその人にしか出せない世界が出せたかどうかですね。そういうものを持っている方に引かれるし、それは声もそうだし、歌も表情もパフォーマンスにおいても、その人にしかできないものを持っているということが憧れですよね。また、それが色濃く出せたときにうまくいったなと思います。「〇〇みたいだね」というのは嫌ですよね。幸せなことに、キャリアのなかでテクニックとかを超越した個性の強い方々に出会ってくることができました。望海さんもテクニックは十分に持っているので、これからはそれを超えた何かを色濃く出せるようにお手伝いできたらなと思っています。それには場数を踏むことも、今までと違うことにトライすることも大事ですよね。宝塚というある種独特の美学を持つ世界から出てきたわけですから。

望海　その意味では、私自身、宝塚のイメージが大きく強いなかで、ここから新しいことに挑戦していき自分の力で打破していく、本当の自分の声を見つけて進んでいくのは簡単なことではないと感じているのですが、武部さんのように助けてくれる方が周りにいてくださるのは心強いです。

武部　音楽は年齢ではないですから。40になっても50になっても変われるし成長できる。僕も思うようにピアノが弾けるようになったのはその頃。その年になってやっとこの音が自分の音だと思える。そういうものなんじゃないかな。20代の頃は無我夢中だし、30代の頃はキャリアも積んでくるからちょっと尖ったりもするし。これからが1番面白い時期だと思いますよ。

望海　すごく勇気をいただきます。楽しみだなあ。

武部　望海さんの歌の魅力ってひたすら明るいだけじゃない、憂いの部分だと思うんです。ちょっと陰がある感じがボーカルの魅力につながっているんだろうなと。あと、ギャップですよね。歌い様の潔さと、トークしているときの間抜けな感じ？　そのギャップがいいんですよ(笑)。

望海　あははははっ(笑)。客席のみんながバッと私を見ると上がっちゃうんです。見るのは当たり前なんですけど。歌は練習しますし、こういう世界観を届けたいという気持ちがあるので、「私を見て！」とか、みんなを巻き込もうと思えるのですが、好きにしゃべってと言われると、みんなこっちを見てる！　どうしようって(笑)。

武部　フリートークのときに人間性が出ますよね(笑)。すごくかわいいと思う。

望海　そう言っていただけてよかったです(笑)。「Look at Me」ではお客さんの前で歌う、その日の空気のなかで歌えるということが1番好きだということを改めて感じましたし、これからもコンサートをやっていきたいと思っています。

武部　こういう世の中なので今はネット上で音楽を届けることも多いですが、やっぱり声の波動、バイブレーションみたいなものは生だからこそ伝わるものがあると思うんです。それこそが人の心を感動させると思うので、そこで感じるバイブスを大事に届けてほしいなと思います。僕は音楽の力を信じているからやっていますし、プライドを持っているので、そこでしか味わえない感動をこれからも大事にしていきたいと思っています。

望海　今日は本当にありがとうございました！

PART.
3

舞台、ミュージカルへの取り組み

#07 インタビュー

Interview

出演作続くミュージカルの魅力を語り尽くす

2022年は『INTO THE WOODS』を皮切りに、『ネクスト・トゥ・ノーマル』『ガイズ&ドールズ』と3つのミュージカルに立て続けに出演。舞台で抜群の存在を放つ望海風斗に、自身の出演作や幼少期から見ていたというミュージカルの魅力について語ってもらった。

今は『ネクスト・トゥ・ノーマル』というミュージカルに出演しています。社会性について強く考えさせられる作品で、演じていて毎回心が動かされますし、自分自身はすごく満たされた気持ちです。出演者が6人しかいないので、みんなで場を、気持ちをつなぎ合って集中して演じられているのがうれしいですし、お客様も毎回大きな拍手をしてくださって舞台の醍醐味を感じています。感情は毎公演大変だけど、もっとやりたいというか(笑)。休演日も物足りなくて、休みでラッキーではなく「今日も演じたかったたな」と感じていて、それは今までにないうれしい発見でした。

家族を描いた作品で、母親のダイアナ役を演じているのですが、自分の年代に近い、等身大の役は初めてだったのでなかなかイメージが湧かなくて。友達に子育ての経験を聞いたり動画を送ってもらったり、家族を扱った映画も見たりして、役作りはけっこう大変でした。またそれを、結婚や子育ての経験があって、その感覚を知っているお客様もいらっしゃるなかでやらないといけないというのがプレッシャーというか、どう自分の経験として重ねて演じるかは、かなり考えました。でも歌も多いですし、本当に素敵な作品。心をえぐっていくような重い題材を時に笑いに変えたり、アメリカの作品なのですごくカラッとしていて、そのチグハグさがすごく面白いんです。

お薦めミュージカルを3つ選ぶとしたら、すごく難しいですけど1つは『ミス・サイゴン』。2つ目は25周年の舞台をＤＶＤで見てすごく好きになってロンドンまで見に行き、繊細な人間ドラマと怪人の指先の動きにまで魅せられた『オペラ座の怪人』

ですが、3つ目には『ネクスト・トゥ・ノーマル』を挙げるくらい、本当に大好きな作品になりました。

引かれるのは「人生を形成する1つのパーツになるような作品」

出演作については、宝塚時代は用意されたものを演じていましたが、今は自分から向かっていかないといけないので、そこはすごく難しいなと思っています。今は、演じる側も見てくださる方にとっても、考えたり想像したりできる余白のあるものに引かれます。誰にとっても何かのきっかけになるような、人生を形成する1つのパーツになるような作品に出たいな、というのはありますね。

6月から帝国劇場で始まる『ガイズ&ドールズ』は、宝塚でもやっていて、02年の月組バージョンを見てどハマりして、音楽学校の寮の壁にポスターを貼っていたくらい大好きな作品なので、アデレイドを演じられるのが本当にうれしいです。スカイもネイサンもサラも、どの役の曲も歌えるくらいに大好きです。ハッピーミュージカルでとても楽しい役なので、チャーミングに振り切って演じられたら。歌稽古が『ネクスト・トゥ・ノーマル』の公演と被っているのですが、全く違うタイプなので新鮮さもありますし、いいリフレッシュになっています。以前『20世紀号に乗って』（19年）という作品に出たときは、コメディの難しさを痛感して、早く悲劇に戻りたいと思ったのですが、このメンバー（井上芳雄、明日海りお、浦井健治）でできることはなかなかないと思うので、みなさんと一緒に突き進んでいきたいです。

来年（23年）には日本版初演のミュージカル『ドリームガールズ』で、映画ではビヨンセが演じた主役のディーナ・ジョーンズを演じます。歌も多くてまた挑戦になると思いますが、人間模様が面白い作品なので楽しみにしていてください。

歌で人を輝かせる瞬間が好き

以前この連載で、子どもの頃からミュージカルに連れて行ってもらっていたとお話ししましたが、印象に残っているのは『ピーター・パン』や『キャッツ』。他にも子どもミュージカルの『3びきのこぶた』など、いろいろな作品を見た記憶があります。空を飛ぶピーター・パンには憧れましたし、もともと歌うことや体を使って表現することが好きだったので、やりたいこととすごく合ってるなというのは、子どもながらに感じていました。

ミュージカルの魅力を聞かれたら、やっぱり「歌」があることですよね。突然歌い出すからミュージカルは苦手という方もいらっしゃると思うのですが、歌があるからこそ見ている人も自然と役と一緒の感情を味わえたり、音楽で導かれるものがいっぱいあると思うんです。楽しくなったり悲しくなったり、時にはつらくなったり…。

『ファントム』の作詞作曲をしたモーリー・イェストンさんが「それぞれの役がみんな秘密を持っていて、その秘密をお客様だけにバラす――それが歌に込められているんだよ」とおっしゃっていて。つらい思いをしているんだということをただ言いたいだけでなく、言えない思いをお客様には共有してもらう。秘密を教えてもらって、この先どうなるんだろうとワクワクにつながっていく――それを聞いたときに「なるほどな」と。シチュエーションは時によって違いますが、そう考えると、歌って本当に大切だなと思います。言葉ではないところで感情を感じられるのもいいですよね。

個人的には、歌や音楽で演者や役が命を輝かせる瞬間が必ずどの作品にもあって、その瞬間がすごく好きです。この人（役）は生きているんだということを感じたくて、ミュージカルを見に行ったりしているんじゃないかなと思います。

見る作品を選ぶのに、特に基準はないですね。コメディや悲劇などジャンルにはこだわらず、「この人が出てるな」「この作品見てみたいな」など、ちょっとでも興味を持ったものはなるべく見るようにしているくらいです。ミュージカルに出演するようになってから役者さんなどの知り合いも増えたので、新たな楽しみが増えたといいますか、たくさんの素敵な作品に出合えたらいいなと思います。

そういえば、けっこうアンサンブルさんに注目して見ていますね。作品をどう色濃く作るかは、アンサンブルさんにしかできない部分があると実感しているので、1つでも多くの思いを舞台から受け取りたいなといつも思っています。

あと、ミュージカルは再演されることも多いですが、見ている側の境遇や環境、年齢の違いによって受け取り方や感じ方は変わるんだろうなと最近感じていて。先ほど『ミス・サイゴン』が好きだと話しましたが、初めて見たときは完全にキム側の目線で「クリスひど過ぎる！」と思っていたんです(笑)。でも、数年後に見たときはクリス側だったというか。戦争の真っ只中にあるあの状況下では、クリスの取った行動は仕方ないのかなと感じるようになったんです。そんなふうに感じ方が変わっていくのも面白いなと思いますし、ミュージカルの奥深さを感じます。
私自身、宝塚を出たばかりで宝塚以外のミュージカルに関わらせていただくようになってからまだ日が浅いですが、たくさんの方が続けてきたから今がある。そのなかで私もしっかりつなげていきたいですし、関心をお持ちの方がたくさんいらっしゃることも感じているので、ミュージカルがもっと身近になったらいいなと思いますね。

（『日経エンタテインメント！』2022年6月号掲載分を加筆・修正）

ミュージカル『ネクスト・トゥ・ノーマル』
現代社会が抱える家族間の絆やその崩壊、再生を深く掘り下げながら、心の病への向き合い方を1つの家族を通して描く。2009年トニー賞3部門、10年にピューリッツァー賞（戯曲部門）を受賞。日本では13年に初演。望海は、双極性障害を患う母・ダイアナ役で出演（安蘭けいとのWキャスト）。演出は上田一豪。22年3月25日〜4月29日まで、東京・シアタークリエ他、兵庫、愛知で上演。

#08

対談

×

マイケル・アーデン

（演出家）

全日完売の傑作ミュージカルの魅力と制作秘話

帝国劇場上演のミュージカル『ガイズ&ドールズ』が2022年6月9日に開幕するのに合わせ、望海風斗と、本作で日本作品を初めて手掛けるブロードウェイ注目の若手演出家マイケル・アーデンとの対談が行われた。

マイケル・アーデン
1982年生まれ、アメリカ・テキサス州出身。舞台演出家、俳優。『春のめざめ』『アイランド』のリバイバル公演で、ブロードウェイ史上初めて35歳以下で2度のトニー賞ノミネートを果たす。他『メリリー・ウィー・ロール・アロング』『メイビー・ハッピー・エンディング』などを手掛ける。『ノートルダムの鐘』のカジモド役でも有名。

1930年代のニューヨークを舞台に、2組のカップルの恋模様と人生を描くミュージカル『ガイズ&ドールズ』で、14年間婚約したままの恋人・ネイサンとの関係に悩むアデレイドを演じる望海風斗。チケットは既に完売し、新演出版への期待も最高潮となっているが、稽古も中盤に差し掛かった5月中旬、本作の演出を手掛けるマイケル・アーデンとの対談が実現した。トニー賞に2度ノミネートされたマイケルの卓越した仕事術から、望海のミュージカル俳優としての魅力まで語り合ってもらった。

——稽古の様子や現段階での手応えを教えてください。

マイケル　まず何よりも日本の俳優のみなさん、スタッフのみなさんと一緒に仕事ができることをうれしく思っています。仕事に対しての美学がとても高いものであると感じていて、それは本当にありがたく思っております。今稽古は、私が言うところの第1段階を終えたところです。画家に例えるのであれば、スケッチが終わった段階だと思います。なので、これからは役者のみなさんにもっと遊んでもらって、もっと探っていただいて、最終的にどういうミュージカルに仕上がるかという過程をとても楽しみにしております。

ただ、俳優さんやダンサーさんは稽古場でずっとマスクをしている状態なので、本当に大変だと思います。プラスチックで巻かれたバイオリンを弾いているような感覚なのではないでしょうか。

望海　マイケルからいろいろなアイデアをいただきながら最後まで1回体に入れた段階ではあるのですが、その段階で既にすごいです(笑)。形だけではなく、役の心の動きも考えながら動きをつけていただいていますし、またそこに役者たちのお芝居を見たうえで感じたことをさらにいただいたところなんです。なので、マイケルもおっしゃっていた通り、どう自分たち役者から発信していくか、どうもっともっと色を濃くしていくかがこれからのお稽古で楽しみなところです。

マイケル流の繊細かつ自由な演出

――どんな話をされてから稽古に入られたのでしょうか。

マイケル　もちろん作品のことです。それぞれの役がどういう役なのか、作品のなかで何を欲しがっているのか。その状況や心情的な変化、推移についてですね。各キャラクターが作品を通して大きく変わっていくので、変わるポイントや、それがいつどのように起こるのかについても話をしました。

望海　今作はコメディではありますが、それぞれの役が〝恐怖〟を感じる部分を持っていて、それがどういうものなのかをお話しいただいたんです。その言葉に、あっ！と思って。コメディだから面白い部分をどう掘っていくかというよりも、それぞれのキャラクターの根底に〝これ〟があるからこう動くという、1番の動機や核となるものを最初に伺えて、それを持ちつつお稽古できているので、すごくいい状態にあるなと感じています。

マイケル 心掛けているのは、言語を超えて楽しんでいただける作品作りをしたいということ。なので、いろいろな意味でビジュアルを重視して作品作りをしています。俳優さんたちの身体的な動きでストーリーテリングをするのが、今とても楽しいプロセスです。

――マイケルさんから見て、ミュージカル俳優としての望海さんの魅力はどんなところに感じていますか。

マイケル たくさんありますが、望海さんは本当に正直な俳優さんだと思います。自分のことをジャッジすることなく舞台上で正直に立てる人。そういう果敢さや恐れがない状態の俳優さんは、すごく魅力的だと思います。あとは、次にどういうムーブをするのか、どういう選択をするのかが予測できない部分も魅力の1つですね。ただもちろんそのなかで、ちゃんと物語を伝えるためにやるべきことを全てやってくださるというのも信じています。技術的なことに関しても、歌も踊りも素晴らしくて、彼女の歌を聴いているのは本当に楽しい。望海さんの演じる姿を見て、この作品に対する私の恐れも全て消え去るくらい素晴らしい役者さんだと思います。

望海　センキュー…。

マイケル　本当です(笑)。

望海　すごくうれしいです。いつもはいろいろ考え過ぎてしまって、役としてお稽古場に立つのもすごく怖いですし、「これで大丈夫かな」と思いながら本番を迎えることが多かったんです。でも、マイケルが最初に「失敗を恐れないで」「正解を求めようとしないで」と言ってくださって、こんなに自然に毎日お稽古場に立てているのは初めてじゃないかな、とびっくりしています。マイケル・マジックにかかっていますね(笑)。

マイケル　(稽古場で)全ての可能性を探求するためには間違いを犯さなくてはいけない、というのは強く信じていることです。正しいことをしなきゃいけないと思って間違えないようにしていると、自分の中で勝手に制限を作ってしまうと思うので。

望海　それが今、フリーなんです。今回最初に、自分が1年前まで男役だったという話もマイケルにしたんです。女性を演じることにやっぱりまだ違和感があって、今までは「こうしなきゃいけないんじゃないか」とか考えながらやっている部分があったので。でも、何か特別に言葉をもらったからそれが解けたというわけではないのですが、今お稽古している段階で、何をやるにしても自分がアデレイドと向き合ってさえいれば、別にそんなことを気にする必要は全くないと思えるんです。むしろ今までの経験が生かせるというか。男役をやっていたときに持っていたパワーだったりが、すごく自然にアデレイドに反映されていたりするんですね。それは、マイケルが本当に1人の人間としてキャスト1人ひとりのことを見てくださっているからで、本当にありがたいと感じています。心が楽に、そこに存在できています。

あと、当然マイケルは英語で、私たちは日本語で通訳さんを通して会話をしているんですけど、何か面白いことがあるとマイケルも一緒に笑ってくれるんですよ。その笑い声にすごく救われたりしています。「あっ、ちゃんと伝わっているんだ」って(笑)。

アデレイドと望海の共通点とは

望海　マイケルは俳優でもありますが、このようなことは、ご自分で経験されて気づかれたんですか。

マイケル　そうだと思います。舞台に役者として立つ気持ちがよく分かりますから。そのうえで演出家としての1番の役割は、俳優さんの環境作りだと思っているんです。俳優さんが自由に表現し、探求し、楽しめること。そして、恐怖や不安という邪魔になるものを全て取り除ける環境を作ることが、まず大事だと思ってやっています。

僕もAyako（望海の本名）に質問したいことが(笑)。アデレイドと共通すると感じる部分はありますか。

望海　今それを探している段階ではありますが…でも、すごく分かり合えている部分はあります。アデレイドはネイサンとの結婚だけを信じてずっと14年間待ち続けているんですけど、1つのことに対しての強い気持ちは共感できます。ある意味しつこさですよね(笑)。似ているというか、共通してるかなと。あと、彼女はうれしかったり怒ったり、感情の波が激しいのですが、私にも似たところがあるので、あえて作らなくてもそのまま居ればできてしまうくらい、やりやすさは感じています。なので、お稽古のなかで、アデレイドを通してこんな面もあったんだって自分自身をちょっとずつ知っていっている部分もありますね。

――最後に、新演出となる『ガイズ&ドールズ』のポイントは？

マイケル　今回のバージョンで1番伝えたいのは、「真の幸福を得るためには、お互いに妥協し協力する必要がある」ということです。キャラクターたちは自分が愛するため、もしくは愛してもらうためにこれまでの自分の生活や人生を顧みなくてはいけない。真実の愛を探るなかで彼らが失敗することもありますが、お客様にも真実の愛を見つけるためには失敗もしていいんだよ、というメッセージも拾っていただけるとうれしいです。

望海　セットも素敵で当時のニューヨークの香りが舞台からすると思います。客席もそこに巻き込まれていくんじゃないかなって。そうなるために私たち俳優もそのエッセンスを入れていければと。

マイケルの言うように、愛の形がどうゴールを目指していくかという過程が本当に大事な作品。それを、ずっと舞台で見てきたスカイ役の井上芳雄さん、ワクワクする世界に導いてくださるネイサン役の浦井健治さん、そして男役でなくナチュラルなやり取りが宝塚音楽学校時代の居心地の良さを思い出させてくれる、絶対的な安心感のあるサラ役の明日海（りお）と、心を通わせて作っていければと思っています。

マイケル　１９３０年代が舞台ですが、現代の日本のお客様も共感できると思います。時代は違えど同じように人間は悩んでいて、同じように人間は生きていて、同じように日々何かを考えていたんだということを感じてもらえれば。

（『日経エンタテインメント！』２０２２年７月号掲載分を加筆・修正）

ミュージカル『ガイズ＆ドールズ』
１９５０年初演のトニー賞８冠を誇る世界的大ヒットコメディ・ミュージカル。天才ギャンブラーのスカイ役には井上芳雄、スカイと恋に落ちるお堅い救世軍軍曹のサラ役には明日海りお。望海演じる踊り子・アデレイドの婚約者で、スカイのギャンブル仲間・ネイサン役には浦井健治が就いた。２０２２年６月９日～７月29日まで東京・帝国劇場、福岡・博多座で上演。

#09

対談 × 野田秀樹（演出家）

望海がNODA・MAP野田秀樹に聞く「いい役者」とは？

独創的な舞台を作り続けて半世紀。日本の演劇界をけん引する劇作家・演出家の野田秀樹がゲストで登場。野田の舞台を初めて見た望海風斗は、ストレートプレイにも興味を持つなど大いに刺激を受けたようだ。

のだ・ひでき
1955年生まれ、長崎県出身。劇作家、演出家、俳優。東京芸術劇場芸術監督。東京大学在学中に「劇団 夢の遊眠社」を結成。解散後、ロンドンへ留学。93年「NODA・MAP」設立。オペラや歌舞伎の演出も手掛け、海外でも活躍する日本の演劇界の第一人者。

舞台を愛し、そこでの仕事を大事にする望海風斗と、2022年に劇作家・演出家として50周年を迎えた野田秀樹の初顔合わせとなった今回の対談。

先立って『ロミオとジュリエット』をモチーフに、QUEENの名盤『オペラ座の夜』の楽曲を使用した野田の舞台『「Q」:A Night At The Kabuki』(19年初演、22年再演)を観劇した望海。興奮冷めやらぬ様子で「聞きたいことがあり過ぎて質問攻めにしてしまうかも」と臨んだ対談では、野田の作品制作の一端から芝居や役者としての話まで、多岐にわたるトークが繰り広げられた。

望海　ずっとNODA・MAPさんの作品を拝見したかったのですが、なかなか機会がなく。先日初めて『Q』を見たのですが、情報量が多くて1回では全然見切れませんでした。

野田　それが手口ですから、何回も見ていただいて(笑)。つい人間の面白いところとか、本筋と関係ないところを見ちゃうもんね。

望海　本当にその通りです。言葉があふれていて、遊びの多さにも驚かされましたし、役者さんのお芝居にも圧倒されてしまって。野田さんの頭の中はどうなっているんだろうって思いました。脚本を書かれてからワークショップをされるんですよね。

野田　ワークショップをやりながら書いてるときもあるし、作品によります。『Q』は割と早めにワークショップを立ち上げたんです。それは事情があって、QUEENのアルバムを使って芝居をやらないかというとても光栄なオファーが来たので、本当にそんなことができるのかちょっと試したくて。まだセリフもないときに、「どういう世界を作っていけばいいかな」と考えたかったんです。今回は再演なので、自分の中で気になっていたところに少し手を入れました。やっぱり再演のほうが、出来栄えはいいかなという気がします。

望海　海外公演もされるとか。

野田　『ロミジュリ』の本場はイギリスですからね。かつQUEENも加わったので、非常にチャンスではあったと思うんですが、サドラーズ・ウェルズ劇場というところがパッと手を挙げてくれて…これは自分の話もしていいの？

望海　ぜひしてください(笑)！

野田　1993年にロンドンに留学したとき最初に行ったワークショップが、サドラーズ・ウェルズ劇場のスタジオだったんですよ。そこで出会った連中がその後イギリスで仕事をする仲間になったので、僕にとって出会いの場所。そういう巡り巡った流れがありました。

22年11、12月に、静岡と東京・池袋で、野田が発案した「人と人が交わるところに文化が生まれる」というコンセプトの元、新しい表現によるパフォーマンスを創作・披露する「東京キャラバン the 2nd」が開催。多彩なジャンルの表現者が集う文化サーカスだ。

日本のエンタメ文化が集結する野田発案「東京キャラバン」

望海　「東京キャラバン the 2nd」も素敵な企画ですね。

野田　自分が若い頃の70年代、80年代は、世界的にそうだったんだけど、非常に人が交わって文化状況に広がりがあったんです。だから、演劇をやっている人間だけれども、それ以外の人間とも接する機会があった。そこが今はちょっと閉鎖的になっていて、何かやれることはないのかな、と思ったんです。東京だって例えば今晩、いろいろなエンタテインメントがたくさん存在しているわけですが、その場だけで終わってしまう。いわゆる全体的に文化的な状況というのはない。なくなりつつあるというかね。そこで、文化芸術のライブイベントが、留学中にイギリスで見た〝移動遊園地〟のようにできないかなと。だって文化サーカスになれば楽しいでしょう？

望海　私はそんな発想が全然浮かばないので、聞いているだけで楽しいです。

野田　見るのもですが、キャラバンが面白いのは、参加したアーティストたちが他ジャンルの人とも交流できるところ。例えば舞妓さんと小さいロボット、秋田の民謡の歌い手とニューヨークに住んでるタップダンサーが共演したり。キャラバンがなければ出会わなかったわけで、それ自体が面白いし、新鮮ですよね。望海さんもどうですか？（笑）

望海　ぜひ参加したいです！

野田　宝塚のキャラバン参加も実現できたら楽しいよね。宝塚はどこと出合うのが1番面白いだろう。後ろに階段を作っちゃったり。

望海　持参します（笑）。

野田　今回は野外ですので、天気さえ良ければそれだけで成功なんです。外の風のなかで夕方に暮れかかってくるのは、最高の演出になるなと思っています。

望海　もの作りへの好奇心や、人と人とが交わることの好奇心が勉強になります。本当に楽しみです。

いい芝居、いい役者――野田の答えとは

望海　宝塚を辞めて1年半くらいになり、いくつか舞台に参加させていただいたのですが、お芝居や見せ方の違いをすごく感じていて…。

野田　宝塚は、歌舞伎と同じで型がありますからね。僕は大地真央さんが宝塚を辞めた直後

の『十二夜』(86年)という舞台で演出をやってるんですよ。あと、仕事をしてるのは天海祐希さん、毬谷友子さんとか。

望海 毬谷さんは『INTO THE WOODS』で共演しました。『Q』に出ていらっしゃる羽野晶紀さんも、たまたまそこでご一緒しました。宝塚は辞めた後が大変だと方々から聞いてはいたのですが、まさに大きな壁にぶつかって。(演出の)熊林弘高さんに毎日居残りでセリフの言い方を教えていただきとても勉強になったのですが、全然違うんだなと。

野田さんは演出家で、役者としても舞台に立たれていますが、お芝居の何を大事にされていますか。もしくは、こうしてほしいというのはありますか。

野田 大事に、と言われると、どうでしょうね。基本的に演出していていつも気になるときというのは、ちゃんとやっているんだけどなんで嘘っぽく見えるのかなあという場合です。「この嘘っぽさをどうやったら取り除けるのか」って。単純にセリフ側の問題だったり、あとは役者が納得していないまま演じていたりするときとか、いろいろな理由があるので。だから、本当に納得してないときは、役者さんは聞くなり、分からないって言うべきなんですよね。あるいはアイデアを出すとか。

望海 『Q』を見て、無駄なことをしないって大事だなとすごく思いました。

野田 松たか子さんとかね。

望海　そうなんです。いかに足していくかということばかりしてきたので、無駄なことをしないってこんなに大変で、かつそれをされている方を見るともう…。

野田　でも、無駄なことをしていないように見える人と違って、本当に何もしていない人もいるじゃない（笑）。松さんは何もしていないようで心の中はちゃんと動かしてるからね。そういうことが大事になると思う。口で言うのは簡単だけど難しいよね。

望海　本当に難しいです。難しいけど、やっていてすごく楽しいですし、見に行くとやっぱり舞台に立ちたいな、と思うので。

野田　それは天性でしょうね、見ていて立ちたいと思うのは。立つ側の人間ですね。普通のお客さんはなかなか思わないから。

望海　でも、ストレートプレイはまだやったことがなくて。歌がないと安心できなくて、やっぱり怖さがあるんですよね。

野田　ミュージカルにもセリフがあるじゃないですか。そこは音がもう決まっているの？

望海　決まってはいないですが、私は今までまず歌があって、歌から逆算していくことをやってきたんです。そこで音楽が助けてくれるので、多分感情が出しやすいんです。

野田　感情が（頭を指差しながら）ここと連動しているんでしょうね。

望海　でもストレートプレイを見ると、怖いけど、やってみたい気持ちもすごく湧いてきて。

野田　音も全部を任されますからね。自分の出す声も。早い話が日によって、調子によって自分のセリフを好きな音から入っていいわけなんですよね。ミュージカルだとそうもいかないよね。

望海　そうですね。まだまだお聞きしたいことがたくさんあるのですが、最後に、いい役者についてどう思われますか。

野田　1種類じゃなく、いろいろないい役者さんがいますからね。でも、「間が分かる人」はいい役者ですよね。芝居は自分のセリフをしゃべったら休みというものではないから、一緒にやってやりやすいのは、常に相手がちゃんと感じてくれているのが分かるとき。

いい役者よりも悪い役者の話をしましょうか(笑)。悪い役者というのは、そこにいるん

だけど思わず（手をパンパンと叩いて）「（こちらを）見・て・ま・す・か?」と言いたくなるような人ですよね。この人はリアクションとかできない人なんだなって。多分、自分の次のセリフや、違うことに気がいっている。そこに「生きて」いないんです。だから、こちら側がわざと違ったことをしても反応しない。それはあるような気がします。

ストレートプレイというか、ミュージカルではないものにもぜひ挑戦していってください。そのほうが世界が広がると思うし。

望海　挑戦していきたいです。なんというか…、宝塚を辞めてから、今まで何を見てきたんだろうというくらい知らないことがたくさんあって。いろいろな方に出会ったり、舞台を見たりするとすごく思うんです。

野田　宝塚は純粋培養ですもんね。とんちゃん（毬谷友子）からよく聞かされてた(笑)。今もトイレ掃除の際のトイレットペーパーの厳格な向きとかもあるの？　それはもうないのかな。

望海　私のときはなかったです。でもそれは後に、舞台に立ったときに「いつも見ている景色と違う」と気づけるようになるというか…ここの様子がおかしいとか、このセットがちょっと危ないかもといったことを察知できるようになると。たかがトイレットペーパーですけど、後々舞台に生かされてるんだよって刷り込まれて生きてきました(笑)。

野田　それはあるかもね(笑)、観察力みたいなね。

望海　昨夜から緊張していたのですが、お会いできてうれしかったです。本当にありがとうございました。

（『日経エンタテインメント！』２０２２年11月号掲載分を加筆・修正）

東京キャラバン the 2nd
ミュージシャン、ダブルダッチチーム、人形劇師、伝統芸能の担い手など、様々なエンタテインメントが集結、コラボレーションする他にない文化のサーカス。２０２２年11月27日に静岡・駿府城公園紅葉山庭園前広場、12月16～17日に東京・池袋西口公園野外劇場グローバルリング シアターで開催された。野田秀樹演出。

#10 対談 × 伊藤潤一郎（劇団四季・俳優）

「削ぎ落とす、足さない、やろうとしない」芝居の感覚

『キャッツ』『ライオンキング』『アナと雪の女王』など数々のヒットミュージカルを上演する劇団四季から俳優の伊藤潤一郎がゲストで登場。ミュージカルの舞台に立つ俳優同士、様々に話が弾みお互いのリスペクトを深めていった。

いとう・じゅんいちろう
7月3日生まれ、愛知県出身。2006年に『ジョン万次郎の夢』勝海舟役で劇団四季初舞台。主な出演作は、『ユタと不思議な仲間たち』ゴンゾ役、『ジーザス・クライスト＝スーパースター』司祭役、『青い鳥』火役、『リトルマーメイド』トリトン役、『ライオンキング』ムファサ役など。『バケモノの子』では熊徹役を務める。

2022年4月に開幕した劇団四季オリジナルミュージカル『バケモノの子』で、主役の熊徹を演じる伊藤潤一郎。伊藤は、ミュージカル『ユタと不思議な仲間たち』のゴンゾ役や、ディズニーミュージカル『リトルマーメイド』のトリトン役などで知られる。細田守監督のアニメーション映画を原作とするミュージカル『バケモノの子』は、東京公演で約23万8000人を動員、「2022ミュージカル・ベストテン」（ミュージカル出版社『ミュージカル』23年3・4月号）作品部門1位に選ばれるなど、大ヒット作となっている。

望海が劇団四季作品を初めて見たのは小学生のときで、ミュージカル『キャッツ』だった。

「役者さんが本当に猫のようで、人間がこんなことを表現できるんだという驚きがあり、宝塚とはまた違う衝撃が走りました」（望海）と当時を振り返る。また、幼少時に参加した地域の子どもミュージカルの主催者が元劇団四季の劇団員だったこと、さらに周りにも劇団四季のファンがたくさんいて、接点や見る機会はたびたびあったという。印象に残る作品は、『アイーダ』や『ウィキッド』。なかでも、宝塚音楽学校の夏休みに見た『ライオンキング』には刺激を受けたそうだ。

「見た帰りのバスの中で、音楽学校の修学旅行の余興は絶対に『ライオンキング』をやろうと思いました(笑)。ありえないあれこれを全部人間がやっているという感動がものすごかったんです。自分がどの動物を演じたかは全く覚えていないのですが、グループのみんなで計画して、シンバが生まれるシーンなども作りました(笑)。宴会場の扉から歌いながら出てきて、化粧もちゃんとして…手作りでやり切ったという思い出があります」(望海)

伊藤との対談は、『バケモノの子』の観劇直後に始まった。

劇団四季の作品主義とチームプレイ

望海　『バケモノの子』を見せていただいたのですが、本当に大感動しました! アニメ作品をどう表現されるのか楽しみにしていたのですが、人間ドラマにものすごく心を打たれました。そして、見終わってすぐにこうしてお会いしているので感激もひとしおです。熊徹さんはすごく大きく見えたので、伊藤さんもすごく大きい方だと思っていたのですが…。

伊藤　本当ですか!? それは存在感があったということですよね。よかったです(笑)。

望海　舞台で見た姿と印象が違っていてびっくりしました。衣装がけっこうぶ厚そうなのに立ち回りや動きも激しいですよね。

伊藤　衣装もですし、やることが多いですね。舞台に出てるか着替えをしてるかのどちらかなので、幕が開いたら最後までノンストップ、という感じです。おそらく望海さんもそうですよね。

望海　宝塚の頃は早着替えも多くて、でも動かなきゃいけなくて、その大変さはとてもよく分かります。でも、途中からはそんなことをすっかり忘れるくらい世界に引き込まれました。

伊藤　ありがとうございます。同業者ですと衣装やメイクなど細かいところにも目が行ってしまいますよね。

望海　（笑）。見てしまいますね、どうなってるんだろうって。伊藤さんは、お芝居ではどんなことを大事にされているのかぜひお伺いしたいです。

伊藤　もともと僕は、トゥマッチに演じてしまいがちで、（劇団四季の創立者の故）浅利慶太先生にも、「お蕎麦にかける七味を、ちょっとだけでいいのにバアッとかけて七味の味だけにしてしまっているようだ」と例えられ、あるとき「役の前で透明になれ」と言われたんです。そこから、役を作る際には「透明になるとはどういうことなんだろう」と考えるようにしています。

特に熊徹は、キャラクターがものすごく立っていてインパクトもあるし、アニメーションを見られた方の期待もあると思うんです。だから最初に、あえて自分がキャラクターを押し出すことをしないようにしよう、と決めていました。その場で起きたことに自然にリアクションすることが大切で、相手が怒るタイミングでは、僕が相手を1番怒らせるようなアクションをする。キャラクターを作り込むのではなく、相手に最高のパスを出し、自分もその場で起きたことに素直に反応する。熊徹でも意識しているポイントです。

望海　お話を伺って、今、私が陥ってるところと同じだと感じました。私も本当にやり過ぎてしまうんです。宝塚時代はそれで個性が生まれたり、それが楽しかったりしたのですが、退団する直前に「付け足すことで芝居をするんじゃなくて、引いていく、削ぎ落としていくことで成り立つものがあるから、ちゃんと自分自身を信じなさい」と演出家の方から言われて。それをどうにかつかみ取りたいと思いながら退団したのですが、今も探している途中です。削り落とす、足そうとしない、やろうとしない。その大変さは、ものすごく分かります。

伊藤　難しいですよね。ダメ出しをいただくときって、どうしても、役に対して「もっとこうしてほしい」というものを足していきがちになるから。

少し話は変わりますが、「同化」と「異化」というものがあると入団前に浅利先生のコラムで知ったのですが、劇団四季は同化のお芝居を目指しているんですね。異化というのは例えば歌舞伎で、「中村屋！」という大向こうがかかることからも分かるように、舞台上で演じている役と演じているその人自身は別のものとして存在しているということだと思うんです。宝塚も恐らくそうですよね。トップさんが出てきたら拍手が起こるとか。でも、僕たちは舞台上では熊徹であって、伊藤潤一郎ではないんです。

望海　宝塚にいるときは、伊藤さんのおっしゃった異化についてですが、最初は個を立たせていくことがすごく難しかったんです。役だけど、個の望海風斗という人の魅力が見えないとファンにはなっていただけないので、そこは悩みました。それは宝塚の文化でもある部分なので。

伊藤　具体的に何かあるんですか。舞台上でアクションとして起こすことって。

望海　最初は、「自分はこの役をこうやりたいんだ！」「この役をこう演じたいんだ！」というのをやることが個だと思っていたのですが、でもそうではなくて内面——本当の自分が今陥っていることや悩んでいること、楽しいと思っていることだったりを、役を通してさらけ出すことでお客様にも共感してもらえるし、応援したいと思ってもらえるというふうに、私の中ではたどり着きました。もと

もと素質というか、個が光っている方はいらっしゃるので、個を立たせていく難しさは宝塚ではすごく味わいました。

でも、今日の舞台は、伊藤さんがおっしゃるとおり、熊徹や九太といったキャラクターがちゃんとそこに、自然にいるなと感じました。本当に刺激をいただきました。

伊藤　めちゃめちゃうれしいです。劇団四季の目指す〝作品主義〟はそれが1番重要なので。作品としての魅力をチームプレーでお客様にお届けするということですね。

望海　素敵ですね。

言葉にこだわり、役者が歌う歌にしたい

望海　最後の『バケモノの子』というナンバーは、本当に感動しました。

伊藤　一種のカタルシスを共有できる瞬間なのかもしれないですね。

望海　ミュージカルの醍醐味というか、それが全然不自然じゃなくって、最後の最後にこの題名のナンバーが心にドシッときました。四季さんの歌への取り組み方も知りたいです。

伊藤　技術的なことはまず置いておいて、俳優が歌う歌にしたいなというのはあります。音程をきちんととっていく作業はもちろん大事なんですけど、僕たちは〝言葉を大事にする〟

ということを1番最初に教えられるんです。「一音落とす者は、去れ！」（劇団四季の標語）ということなんですが、言葉をいかに明晰に伝えるか。メロディーはあるけれどセリフだという感覚は強いですね。

でも、ケースバイケースだと思います。例えば海外ミュージカルの『ライオンキング』はビート感が大事なので、言葉に意識を向け過ぎるとそちらがおろそかになってしまったり。望海さんが主演される『ドリームガールズ』が個人的にはものすごく楽しみなのですが（笑）、でもそこで求められることは、僕が今やっているものとは違うんだろうなとは思います。

望海　海外ミュージカルの英語で成り立っている曲の歌詞を日本語に変えるのは難しいな、とは常々感じています。メロディーの面白さを日本語でもうまく面白く伝えたいなという気持ちと、どう天秤にかけたらいいんだろうというのはありますよね。

伊藤　そこはバランス感覚なんでしょうね。『バケモノの子』は、日本人スタッフが日本語で作った作品なので言葉に集中できるのかな、と今、話していて思いました。

望海　個人の技術を上げていくというところでは、トレーニングや喉のケアなどはどうされているんですか。

伊藤　声は小さい頃からめちゃくちゃ大きくて（笑）。声が大きいから舞台俳優になれるんじゃないかなと思って劇団に入ったんです。実は歌に関しては、僕はきちんと習ったことがなくて。先輩方に教えていただいたりして、技術を高める努力をしてきました。劇団四季は公演回数も多いので、実践するなかでできるようになったことも多いです。望海さんはどういったことをされているんですか。

望海　今は男役から声を元に戻さないといけないので、ボイトレや喉の筋トレをしてます。

伊藤　喉の筋トレ!?　どういうものですか？

望海　男役のときって無理をしていたというか、男性の歌を聴いてそれをずっと真似していたんです。だからすごく声の圧が強かったんですよね。それで、歌うときに声帯をくっつけ過ぎていたのですが、それだと喉がやられてしまうのでその癖を無くしていこうと。

伊藤　すごく分かります。僕は男性ですけど(笑)。自分は喉は強いほうですが限度はあって、お医者さんからは喉の圧が強過ぎると言われます。今されているのは、圧をなくしてスムーズに動かせるようにするということですよね。ちなみに、楽屋とかではしゃべりますか？

望海　しゃべります(笑)。

伊藤　僕もしゃべりたくて仕方なくて(笑)。僕の声の調子が悪くなるのはしゃべり過ぎだよって、よく先輩にも言われるんですけど。

望海　しゃべるのが喉に1番良くないと言われますよね(笑)。でも、しゃべりたいですよね。

伊藤　楽しいですからね(笑)。

望海　（笑）。今日は伊藤さんの役作りや劇団四季さんの作品作りをお伺いできて、とても勉強になりました。楽しかったです。ありがとうございました！

（『日経エンタテインメント！』2022年12月号掲載分を加筆・修正）

劇団四季ミュージカル『バケモノの子』
東京の渋谷とバケモノたちが住む渋天街を舞台に、渋天街でも1、2の強さを誇る熊徹とひとりぼっちの少年・九太が奇妙な師弟関係を結び、親子のような絆が芽生えるまでを描く感動作。2015年公開の細田守監督によるアニメーション映画を劇団四季がミュージカル化。23年12月10日から大阪四季劇場で大阪公演がスタートする。

#11 インタビュー

Interview

出会い多き1年、2023年も挑戦の年に

2022年は年明けから3本のミュージカルに出演し秋には2度目のコンサートツアーを実施。振り返って「出会いばかりの1年だった」という望海風斗にこの1年で感じたことや自身の成長について、そして、23年2月から始まるミュージカル『ドリームガールズ』への意気込みを聞いた。

2022年は駆け抜けた1年でしたね。『INTO THE WOODS』の魔女役から始まって、『ネクスト・トゥ・ノーマル』のダイアナ役、『ガイズ&ドールズ』のアデレイド役と3つのミュージカルを経験させていただいて。無我夢中でぼうっとす

る時間がないくらい。正直、宝塚を辞めてそういう時間がまた来るとは思ってもいなかったので、うれしかったです。

コンサートもラジオも歌番組も

それから2度目のソロコンサートツアー「Ｌｏｏｋ ａｔ Ｍｅ」も！ ずっと歌いたかった『僕こそ音楽』（『モーツァルト！』より）と、『Ｄｏｎ't Ｒａｉｎ ｏｎ Ｍｙ Ｐａｒａｄｅ』（『ファニー・ガール』より）に挑戦できました。２曲ともミュージカルの名曲で『僕こそ音楽』は男性の曲なのですが、高音を練習し始めてから逆に低音が出やすくなって今なら歌える、と。『Ｄｏｎ't Ｒａｉｎ～』は女性としての歌唱を練習して、また3本のミュージカルを経た今だからできた曲だと思っています。

「Ｌｏｏｋ ａｔ Ｍｅ」を通して、改めてショーって大事だったんだなと気づくことができました。宝塚でずっとやってきたことですが、パフォーマンスをすることでパーソナルな部分をお見せでき、お客様とより近づけるんですね。お客様もすごく楽しんでいるのが伝わってきて、私も楽しかったですし、やってよかったなと思いました。

段取りとダンスは覚えることが多くて大変でしたが（苦笑）、今回やりたかったことや挑戦したかった曲もできて、思い描いていたコンサートをお届けできたのかなと。今後もその時々で、瞬間の私を感じて、見ていただけるコンサートをやっていきたいなと思いました。

他にもＳｐｏｔｉｆｙでお酒を飲み交わしながらトークする『望海風斗のほろ酔いアワー』（現在は終了）や、ＮＨＫ-ＦＭラジオで『望海風斗のサウンドイマジン』（不定期放送から、23年4月にレギュラー番組に）という冠番組を持たせていただきました。『ほろ酔いアワー』は宝塚の先輩や後輩もたくさんゲストに来てくれて、1番素に近い私が出ていると思います。

でも、ラジオのホストはすごく難しくて。ゲストなら聞かれたことに答えればいいですが、話も回して、ちゃんと言葉にして伝える技術も必要で。第2回に井上芳雄さんがゲストに来てくださったのですが、最後はスタッフの指示フリップが芳雄さんのほうに向いていて（笑）。えっ？ 何で!?って（笑）。たくさん勉強させていただきました。第1回の（浅田）真央ちゃんの回は、お互いにゆっくりマイペースにトークができて、こういう雰囲気もいいなと感じました。

あと、NHKの『うたコン』で大津美子さんの『ここに幸あり』を歌わせていただいたのも印象深いです。日本の名曲をテーマにした回で、番組側からご提案いただき、初めて歌うタイプの楽曲で難しさもありましたが、他のアーティストさんの生の歌も聴けて、歌の力を改めて感じ、もっとたくさんの楽曲を歌いたいなと思いました。

この1年は男役からの転換期だったのですが、歌番組やコンサートを通して、前よりも歌いやすくなったと感じています。宝塚にいたときは何も考えずに公演中に成長してきたと思うのですが、自分の声を芯で捉えるというか、本来自分は「こういう声だったんだな」と知る1年になりました。

思い返すと、宝塚受験のときに歌の先生から「あなたにはこれが合う」と勧められたのが、悲しい日本の歌謡曲だったんです。声質に合っていたんでしょうね。もちろん海外ミュージカルも好きですが、日本語の歌の深みや意味が今やっと分かったというか。海外ミュージカルを日本語にしたときの難しさがある一方、日本の歌もJ-POPとミュージカルではリズムの取り方などまた違った難しさがあります。曲の持つ世界観と自分の声をそっと重ねるだけでいいのに、つい付け足してしまったり。これからもっと歌ったことのない難しい曲を歌うためにも、自分の個性を深めていきたいと思っています。そして、この自分の声をどう生かしていくのかもこれからはもっと考えていきたいです。

刺激的な出会いの連続～23年はさらなる飛躍の年へ

振り返ると出会いばかりの1年で、刺激的でした。どなたも印象的でしたが、特に『ガイズ&ドールズ』の演出家のマイケル・アーデンさんはすごかったですね。本当に今ブロードウェイの最前線にいる方で、そこでやられていることを手加減なしで日本でもやろうと最後まで妥協をしない姿勢など、ブロードウェイの一端を経験させていただきました。英語が話せたらもっとコミュニケーションが取れたのに(笑)。22年の初めに英会話の勉強を目標に掲げていたのですが、23年以降に持ち越しです。

この連載でも、いきものがかりの水野良樹さんや演出家の野田秀樹さん、劇団四季の伊藤潤一郎さんと対談させていただきました。みなさんすごく遠い存在だと思っていたのですが、お話ししてみるとたくさん共感させていただく瞬間がありました。エンタテインメントのなかで、それぞれがやっていることを愛して、また関わる全ての人たちのことを思っている。ジャンルは違えど同じなんだと思いました。舞台に立つ私にとってコロナ禍は本当にいろんなことを考えさせられましたが、コロナ禍に直面してそこで何かを考えて、みなさんパワーアップしていて。人間の力ってすごいなと。カチャ（凪七瑠海／宝塚歌劇団）との対談は、それでいうと近い存在ですが、改めて話す機会はなかなかないのでうれしかったです。

21年に宝塚を辞めたばかりの頃は、歌のことを考えることが多かった気がしますが、この1年でもっともっとお芝居を追求していきたいという思いが強くなりました。ミュージカルは曲の良さによって成り立つ作品も多いですが、そこに頼るのではなく、役の人生を生きたいですね。

求められていることに、本当にこれでいいんだろうか、あとコンプレックスじゃないですが、宝塚出身の自分のお芝居は通用するのかと感じることも多くて。そんななかで「第30回読売演劇大賞」の女優賞にノミネートしていただいたことは、びっくりしたけれどうれしかったです。このまま進んでいいんだと思えました。心的病気を抱えた母親でもあるダイアナ（『ネクスト・トゥ・ノーマル』）と、婚約者との関係に悩む踊り子のアデレイド（『ガイズ&ドールズ』）は、作品的にも役柄的にも両極端でしたが、それぞれとしっかり向き合うことができました。

リフレッシュする時間もちゃんとありましたよ(笑)。念願だった韓国旅行にも行けたし、観劇もたくさん。知り合いが増え、これまであまり見なかったジャンルの舞台も見に行くようになって、今まで知らなかった刺激をもらっています。ミュージカル『COLOR』は見られてよかったですね。

23年は、まずは2月に始まるミュージカル『ドリームガールズ』。10月から歌のお稽古が始まり、ソウルミュージックならではのグルーブ感、発声などの難しさは感じています。でも、シンガーソングライターの福原みほさん（エフィ役）の歌声をこんなに近くで聴けることはないので、たくさん吸収していきたいです。

そして、23年はデビュー20周年なのでもっともっといろんなことに前向きに挑戦していきたいなと。何事もやってみなければ分からないな、とこの2年で痛感しているので。いつかカバーアルバムも出してみたいですし、健康第一で(笑)、23年も駆け抜けるのかなと感じています。

（『日経エンタテインメント！』2023年1月号掲載分を加筆・修正）

#12 対談×植村花菜（ミュージシャン・作曲家）

ミュージカル『COLOR』で感じた「言葉の輝き」

2023年の始まりは、『トイレの神様』のヒットで知られるシンガーソングライターの植村花菜がゲストで登場。植村が音楽と作詞を初めて手掛けたミュージカル『COLOR』（22年）を見て感動したという望海たっての希望で対談が実現した。

うえむら・かな
1983年生まれ、兵庫県出身。19歳のときに独学でギターと作詞・作曲を始め、同時にストリートライブを開始。05年にメジャーデビューを果たし、10年発売の『トイレの神様』が大ヒット。現在はニューヨーク在住。デビュー15周年記念ミニアルバム『それでいい』が発売中。

2022年に観劇し、望海風斗に新たな刺激を与えたという日本オリジナルのミュージカル『COLOR』。その作品で音楽と作詞（高橋知伽江と共同）を担当したのが植村花菜だ。日本で上演されるミュージカルは海外作品が大半を占めるなか、日本人クリエーターが中心となり日本語で作るミュージカルの歌の魅力、そして海外作品を日本で上演する難しさについてなど、偶然にも同い年だと発覚した2人のトークはリラックスした様子で進められた。

望海　『COLOR』を拝見しました。もちろんストーリーの素晴らしさもあるのですが、音楽が…！　曲と言葉が一緒に見ているほうにワーッと伝わってきて。心も動かされるのですが、同時に人間の温かさを感じて、「こういうミュージカルって素敵だな」と感動したんです。植村さんがこの作品で初めてミュージカルの曲を作られたというのを知って、ぜひお話を伺いたいと思いました。

植村　ありがとうございます。私は実家が関西なので学生時代は宝塚歌劇をよく見に行っていたのですが、すっごく久しぶりに見たのが望海さんの『ONCE UPON A TIME IN AMERICA』(20年)だったんです。実は雪組組長の奏乃はるとさんとは知り合いで(笑)。お会いできてうれしいです。

望海　まさかこんなに近しい知り合いがいたなんて(笑)。

日本発ミュージカルの魅力

望海　パンフレットのインタビューを読んで、ものすごく言葉を大切に曲を作られているのだなと思いました。私もいろいろな作品に出させていただくなかで、海外ミュージカルを日本で上演することの1番の難しさは、そこ（言葉）にあると感じていたんです。英語の歌詞に合わせて作られているので、日本語にするとメロディーと合わなかったり、英語の韻の面白さが日本語に変えた途端、面白くなくなってしまったり。そんな問題を作品ごとに抱えていたので…。

植村　絶対に出てきますよね。

望海　海外作品だとストーリーとは別に、曲の印象が強く残ってしまうこともありますが、『COLOR』はメロディーと言葉が一緒に入ってきて、「これが日本で作るオリジナルミュージカルの良さだな」と改めて感じて。「言葉を伝える」というのは意識されていたんですか。

植村　ミュージカルはもともと好きでいつか関わりたいな思っていたので、楽しみとかワクワクしかなくて。でも、あまり考え込まないで真っすぐな気持ちで作ろうとは決めていました。ミュージカルだからとか、J-POPのシンガーソングライターだからとか、そういうのは一切白紙にして。

自分の曲を作るときは、「言葉から生まれてくるもの」をとにかく大事にしているんです。持論なんですけど、言葉自体がもともとメロディーを持ってるんです。だから、いい歌詞が、いい言葉がそこにあれば、「どんなメロディーですか？」って問いかけたら、「こんなメロディーですよ」って言葉が歌ってくれるから。「あっ、そういうメロディーなんですね、じゃあ形にします」という感じで、本当にそれだけ。今回も、いつもの曲を作るのと同じような感覚でした。

望海　すごいっ！

植村　私が歌詞を書いたものも何曲かありますが、基本的には知伽江さんが書いてくださっているので、音楽は知伽江さんの言葉が作ったみたいなものですよ。私はメロディーの翻訳家みたいな(笑)。

望海　海外ミュージカルを日本語にした場合、歌うのも難しいんです。ボイストレーナーさんに相談すると、英語だと息の流れ的に出しやすいけど、日本語だと非常に難しいということがよくあって、どうクリアしていくかでつまずくことが多くて。あとは、歌詞を通して伝えたいことが、英語から日本語に変換したときにうまくできないところも。じゃあそれを、言葉でなく見えないものでどう伝えるか——本当に曲が伝えたいことを自分の中にちゃんと持って伝えなきゃいけないという意味では、特に海外ミュージカルで、あまり言葉を押し出し過ぎないようにしようと思っていて。それよりも、中に流れている背景や感情を届けるためのアイテムとして曲がある、と思ってやらないと、チグハグというかストレスが生じてしまうんですよね。

だから『COLOR』で、曲ありきではなく、言葉があってその言葉に音楽を乗せていくというのが、言葉が輝いて聴こえたというか、うらやましかったんです。見ている側も共有し合えるものが多いかなと。作中の『ごはんの曲』も好きですが(笑)、言葉って本当に大切なんだなと思いました。

植村　両方大切ですよね。言葉もメロディーも両方が同じいいバランスでないと、どちらかだけが立っても相乗効果は生まれない。私は英語でも曲を書きますけど、やっぱり英語と日本語のイントネーションは全然違いますから。

日本語と英語の言葉の違い

望海　植村さんは、日本語と英語の違いはどのように感じていますか。

植村　英語で伝えられる表現と日本語で伝えられる表現は全く別ですし、言葉のイントネーションがあって、英語で作られた歌に、日本語をはめるというのはもう内容を変えないと多分無理で、表現の仕方を変えないと不可能ですよね。そこの言葉の壁はあると思います。

私の作り方で言うと、メロディーを書いていて日本語の持ってるメロディー、しゃべる言葉のイントネーションが違うのも嫌なんです。だから例えば、「愛」という言葉をメロディーで表現するときに、「愛」は「あ↓い←」であって、「あ↓い→」となるようなメロディーには絶対にしないです。

望海　海外ミュージカルではよく出てきますし、そこが聴かせどころだったりしますよね。

植村　でも、それは絶対にしません。普通にしゃべってるときに「あ↓い→がね」とはならないし、もしかしたら方言とかであるかもしれないけど、標準語の日本語としては「愛」は「あ↓い←」というイントネーションで聴けないメロディーは付けないです。それはすごくこだわっています。

「このメロディー、すごくいいな」と思っても、言葉のイントネーションと合わないとメロディーか言葉のどちらかを変えますね。それでいてちゃんと音楽になっているように。それは自分の歌を作るときでも、今回のミュージカルでも気をつけてました。言葉が不自然にならないようなメロディーは常に心がけて作っています。

望海　だからスッと心に言葉が入ってくるんですね。『COLOR』では作曲者として、演じるキャスト側に「こう歌ってほしい」と思うことはなかったですか。

植村　自分の作る歌でも、なんだろう…自分の歌じゃないというか。まず、自分で作ってる感覚がないんです。表現が難しいですが、例えば「自分が曲を作りたい」って思うわけですけど、それって私が曲を書いてその曲を聴いてくださったみなさんが幸せな気持ちや前向きな気持ちになってくれたりする、そういう役割で多分、植村花菜は生まれてきていると思っているんです。ただの役割というか。その延長線上で歌うことまで続いている感じなので、誰が歌ってもいいんですよ。『COLOR』では浦井健治さんや成河さんたちがその役割を担っているので、全然自由に歌っていいし、解釈してくれていい。もし疑問や歌いづらい箇所などがあれば譲れるところ譲れないところ様々ありますけど、メロディーの意味を双方で納得するまで話し合っていたので、そこは特に考えてなかったですね。ミュージカルは1人じゃなくて、たくさんの人が関わって一緒に作るものですしね。

望海 作曲家さんや脚本家さん、原作を作られた方の話を聞けることはなかなかない経験だってキャスト同士でよく話をするんですが、今お話を伺っていても、「一緒に作っていく」というのが1番いい作り方だなと感じました。「役割」ってすごくいい言葉ですね。

私はいつもいただいたものを解釈して出す、自分の体から表現しますが、「作り手には敵わない」という感覚があったんです。1番は作品を生み出している方の思いをどう届けようか、ということをすごく考えるというか。「これで合ってるのかな？　どうなのかな？」という迷いが常々あって。ですが、役割と聞いて、「そっか、私はそれを受け取って表現するのが役割だし、それでいいのかな」と今、思いました。

植村　それでいいんですよ(笑)。

望海　台本にしても曲にしても、作り手は作品のことを知っていますが、キャスト側は最後に知ることが多くて。だから、この作品ってこうだよね、この曲はこうだよねって教えてもらうものだとつい思ってしまうというか。特に宝塚は演出家など作り手の方たちは先生でもあるので、そう考えてしまうことが多かったんです。カンパニーはみんな平等だということ、やりにくいところを解消していくためにディスカッションをしていく、それをやっていく場が稽古場なんだと、この1、2年でやっと分かってきました。それが楽しいと感じていますし、最終的に表に出てやるのは演じる私たちなので、ちゃんと落とし込んで仕込んでいくということが大事なんだなと、お話を聞いて改めて感じました。

失敗してもそこから学びがある

望海　今日はすごくお伝えしたいことがあったんです。植村さんの1番新しいアルバムの『それでいい』に入っている『パンク』！　あれを聴いて、ちょっと自分のことと重なって。自分がつまずいていることを言葉にして、しかも曲にして世に届けてくれるんだ、「こんな感情を歌にしてくれるんだ！」と思ったんです(笑)。すごくうれしくって。

植村　うれしい！　しかもふざけた感じでね(笑)。

望海　ちょっと落ち込んだときに聴くと元気になれるんです。こんなに笑っていいんだって。その感謝をお伝えしたかったんです。『COLOR』を聴いたときもそうでしたが、植村花菜さんの魅力というか、人の1番飾らない言葉がストンと入ってくるんですよね。すごく近いところに来てくれるんです。それが、『COLOR』を見てからの自分にとっての収穫というか、すごく大きかったことでした。

(写真撮影中に、生まれが)「いのしし年だから、猪突猛進して壁にぶつかって失敗してもまた起きて…」とおっしゃっていたから、ここに至るまでにいろいろな失敗をして、でもやっぱりここに帰ってきて、みたいな繰り返しをきっとされているんだろうなって。

植村　その繰り返しです。でも、失敗が悪いことだとは1ミリも思ってない。

望海　うんうん(笑)。

植村　失敗したらそこには絶対学びがあるわけじゃないですか。失敗するっていうのはすごくいいことなんですよ。だからいっぱい失敗して、そのたびに学んで、また成長して。生きるということは常に成長し続けるということ。みんな失敗したときは「やってもうた」ってなるけど(笑)、でもこれは「また成長できる」ということやなって思ってます。なんで失敗したんだろうっていう分析から始めて…。

望海 それがまた曲になっていったり。

植村 そうそう、それです！

望海 それは面白いですね。

植村 何でも全部曲になるんです。『パンク』を書いたときは本当に忙しくて、なんでこんな忙しいんやろなと思ったときに、「あっ、曲にしよ」って(笑)。あの曲はけっこう名曲だと思ってるんですが、結局オチは「忙しくしてるのは全部自分なんだ」と分かって、Ｏｈ，ｎｏ！って(笑)。

望海 これから曲を聴くのが楽しみになりました。どんな経験をされて曲になっていくんだろうって。普通、隠したいことのほうが多いと思うのですが、それを教えていただけるのもすごいことですよね。

植村 常に自分の人生は全部曲のためのもの、曲を書くための人生だと思っているので、いいことでも悪いことでも何かあったら「これは曲に」って。

望海 ある意味、人生がミュージカルですよね。

植村 そうかもしれないですね(笑)。曲は全部実体験なので、私のミュージカル…ミュージカルの曲作ってたんですね、ずっと。望海さんは感情をどこで発散してるんですか。

望海　私は、舞台で自分とは違う人の人生を借りて感情を表現するのが1番の発散方法というか、役を借りて整理しています。

植村　それも面白いね。

望海　役を介して感情を解放していくというのもあるし、役だったらカッコ悪いところも見せられるんです。あんな大勢の人の前で見せたらスッキリしちゃうというか(笑)。大人になると転ぶのも恥ずかしいけど、舞台だったら転んでも全然恥ずかしくなくて、むしろそれで笑っていただけたりするのがうれしいという、そういう気持ちがあります。

植村　対談の前に望海さんのコンサート(「Look at Me」)を見に行かせてもらったんですけど、声の幅が広くて低いところも高いところも出るし、いろいろな歌が歌えるからすごいなって。それに宝塚時代でイメージが止まっていたので、すごくかわいくて驚きました。

望海　ありがとうございます。

植村　そして、まさかの『君バラ』かぶりという(笑)。私も夏のコンサートで布施明さんの『君は薔薇より美しい』を歌ったんです。

望海　植村さんのも聴いてみたいです。

植村　今回初めて歌ったんですけど、布施明さんに若干寄せて歌っちゃいましたよね。軽くモノマネみたいになってしまって(笑)。

望海　私も最初は布施明さんみたいに歌いたくって。バンドリハーサルの最初にそれをやったら、プロデューサーさんに「もっと望海らしく歌って」と(笑)。すごくノリノリで、「ここは布施さんでいきたいと思います」とか言っていたんですけど。

植村　バンドのみんなも楽しいんですよ、この曲は。私はギターを弾きながら歌っているんですけど楽しくて。「変わった〜」ってあれのために歌っているというか。全部があそこにいくための長い前振りなのでね。

望海　本当に楽しかったです。歌えば歌うほど、どんどんやりたくなっちゃう。

植村　ね。

望海　今日はお話が聞けて本当によかったです。新たな刺激をいただきましたし、これからどう作品と向き合っていくかというところでも勉強させていただきました。

植村　こちらこそ。今度一緒にカフェに行きましょう。

望海　ぜひ行きたいです。楽しみにしています！

（『日経エンタテインメント！』2023年2月号掲載分を加筆・修正）

ミュージカル『COLOR』
坪倉優介著『記憶喪失になったぼくが見た世界』をベースにしたオリジナル作品。
出演は浦井健治、成河、濱田めぐみ、柚希礼音で2022年上演。

#13 対談×福原みほ（シンガーソングライター・俳優）

新作舞台『ドリームガールズ』で「歌」の課題に挑戦中

2023年2月スタートのミュージカル『ドリームガールズ』で望海風斗と初共演を果たす福原みほ。全編ソウルフルなナンバーに彩られた舞台を前に、シンガーソングライターでもある福原と望海による歌談義が繰り広げられた。

ふくはら・みほ
1987年生まれ、北海道出身。シンガーソングライター、女優。2008年にソニーミュージックからシングル『CHANGE』で福原美穂としてメジャーデビュー。15年には自主レーベルを立ち上げ活動している。『ドリームガールズ』はミュージカル出演2作目となる。

1960年代アメリカのショービジネス界を舞台に、コーラスグループ「ザ・ドリーメッツ」として成功を夢見るディーナ（望海風斗）、エフィ（福原みほ／村川絵梨）、ローレル（sara）の成功と挫折の人生を、深い人間ドラマとR＆Bやソウルミュージックといった色とりどりの音楽で描くブロードウェイ・ミュージカル『ドリームガールズ』。映画化もされた世界的大ヒット作の日本版初演が23年2月から上演される。

『Dreamgirls』など名曲の数々を楽しみにしている人も多いはず。そこで、主役のディーナ役を演じる望海とソウルシンガーとして活躍するエフィ役の福原による対談では、『ドリームガールズ』の歌について語ってもらった。

望海　今回、本当に歌は難しいですね。R＆Bやソウルミュージックをこんなに歌うのは初めてですし、やっぱりグルーブ感。お稽古場でみほちゃんが歌い出すと、ちょっと（レベルが）違うなあって。空気がパッと変わってすごいなと思います。（22年）10月から歌稽古を始めたのですが、まだまだ勉強中です。ただ、ミュージカルの曲として歌うのと、この曲のテイストを出すのってまたちょっと違うよね。

福原　そうですね。ソウルミュージックは音楽的にリズムがテーマになっているので、リズムが1番大事なんですね。また、それが日本語に変わっているので、自分の音楽を作るうえでも常にテーマではあるのですが、英語歌詞のグループ感やソウルっぽさをいかに出すかも非常に難しいと思います。あと、急にポップなディズニーっぽい曲とかも出てくるんですよ。人によってはラップもあったり。同じ人が書いているとは思えない曲の振り幅なので、一筋縄ではいかない。簡単に歌えるものではないなと感じています。

望海　でも、歌っていて楽しいです。ディーナはみんなで歌うことが多いので、声を合わせて歌う楽しさはすごくあります。きれいにコーラスするのではなく、それぞれのエネルギーや声を出し合って作っていくのも刺激的で、1人じゃなくグループで音楽を奏でていると思うとテンションが上がるといいますか。アンサンブルのみなさんもすごくパワフルで。

福原　本当に素晴らしいですよね。すごく影響を与えてくださったり、支えてくださったりしています。

待望の共演で刺激し合う日々

望海　私はみほちゃんがデビューしたときから知っているんです。年も割と近いのに、こんなカッコいい歌を歌える人がいるんだという衝撃がすごくて。当時私は宝塚歌劇にいたのですが、ゴスペルとかソウルミュージックへの憧れがあった時期で、「日本人でこんな人いるんだ、私もこんなふうに歌いたい」と思っていました。ただ、だんだん忙しくなってソウルミュージックの勉強はきちんとできなかったのですが。アメリカの教会でゴスペルを歌ったりもしていたんですよね。

福原　していましたね。

望海　今回ご一緒させていただけると知って、すごく楽しみだったんです。実際お会いしたらものすごく明るい方で。

福原　うるさいですよね？ 私(笑)。

望海　みほちゃんがいるだけでお稽古場の温度が2度くらい上がるんです。こんなに気さくな方なんだって、人間性にとてもほっとしました。本場の歌声に圧倒されてしまうかなとちょっと緊張していたんですけど(笑)。

福原　そんなことないですよ！

望海　歌を聴きながらどうやって出しているんだろうなって。「今、地声だったのかな、地声じゃなかったのかな」とか考えたり。

福原　それは私も分からないんです。昨日も歌稽古でまだできないところがいっぱいあって、私は私で毎日苦戦しております。

望海　エフィの歌は難しいから。

福原　それはディーナもですよね。速いテンポが多いし踊りもすごいので。私の場合まず大変なのが、いつもはハンドマイクで歌っているので、吹かないように子音を抑えているんですね。今回はヘッドマイクなので、逆に子音を出さないと何を言っているか分からないとか、そういうベースから全部違って、今までやってきたことは2割くらいしか使えないという。

望海　私は逆にミュージカルをやっている人はポップスを歌うときの難しさがあるので、話を聞いて「なるほど」と思いました。マイクで歌うときも全部音に出しちゃうから。『ドリームガールズ』の曲はその中間な気がします。そこのバランスに、今まさに挑戦しています。

ボイトレ方法から高音のコツまで

望海　ボイストレーニングはどうされているんですか。何かやり続けていることはありますか。

福原　実はしばらくやっていなかったんです。(14年に)独立して子育てもしていたので、ゆっくり仕事をさせていただいていました。

望海　もともと小さい頃からソウルミュージックを歌ってきたんですか。

福原　そうですね、ずっと真似して歌っていました。初めて習ったのが17歳のとき。地元の札幌でボイストレーナーの先生に出会って、いろいろ教えてもらいました。ちゃんと教えてもらったのはその方だけです。ソニーミュージック時代は、アメリカの2時間10万円の先生に教えてもらったりもしましたけど(笑)。

望海　ええっ！

福原　1曲どうしても出ないキーの曲があって、とにかくレコーディングまでに出さなきゃいけないということで3回レッスンを受けたら、そのキーが出たんですよ！　世界的なボイストレーナーの方で、レディー・ガガの先生もされていて、レコーディングにも常にいるのだとか。彼が歌うと、窓ガラスが揺れるくらい共鳴するんです。こういう方がいるから、みんな歌えるようになるんだなって――今回の舞台もそうですけど、音楽チーム、ダンスチームなど、支えくださる方たちがいるからできるんだなってすごく思います。

望海　どんなことをするのか、すごく興味があります(笑)。

福原　目を開けろとか、(頬骨の上あたりを触りながら)ここの骨をちょっと上に、口角を上げろとか、それくらいなんですが、マジックみたいで本当に不思議でした。

望海　参考にしよう。

福原　でも、今も歌唱指導の方から(頬骨の上あたりを触りながら)ここ上げるって言われますよね。ここを上げるとハイノーツが出やすいとか、あるんですかね？

望海　『ドリームガールズ』の歌は発声の仕方もちょっと違いますよね。習得することがまだまだたくさんあるなって。

福原　「ちょっと前に当てるように」ってすごく言われていて、それをみんなでできるようにと頑張っています。

望海　そういえば、みほちゃんに教えてもらって高い声を出す練習をお稽古場でやりましたよね。

福原　1回ね。ローレル役のsaraちゃんがコーラスで常に1番上のトップ（高いキー）を担当するのですが、これが歌えなくて「みほさんはどうやって出してるんですか？」と聞いてくれたときに、「ここをこういうふうに歌ってみたら」って発音を少し変えたんです。そうしたら「あっ、できた！」って。それで盛り上がって、急にみんながその音を出し始めて(笑)。でも、私も分からないことが多いです。人によって体格も異なるので、応用できる人もいれば全然できない人もいるだろうし。

望海　私もチャレンジしてうまくいきました！　今までは力ずくで声を出そうとしていたというか、ガンガンやれば出るんだと思ってきましたが、逃げ道、当てどころを変えるという攻略法？　を教えてもらって、こういうやり方もあるんだなと勉強になりました。

キャラクターや物語の背景を深く探り、役を深める

『ドリームガールズ』の魅力、そして稽古で深めているという、演じるキャラクターについても語り合った。

望海　『ドリームガールズ』は映画で見た後、来日版のミュージカルを見たのですが、こんなに奥が深い作品だというのは、自分が出演すると決まってから気づきました。

福原　私は映画のビヨンセ（ディーナ役）とジェニファー・ハドソン（エフィ役）が印象に残っています。リアルタイムで、アメリカのオーディション番組『アメリカンアイドル』でジェニファーがファイナルで落選したのを見ていたんです。「この人、歌がすごくうまいのに、これからどうするんだろう」と思っていたら『ドリームガールズ』に出てバーンと売れたので、その印象が強くて。ジェニファーの曲を聴くきっかけになった作品です。

望海　お稽古が始まってから演出の眞鍋(卓嗣)さんやキャストのみんなともいろいろなディスカッションをするなかで、まず、60年代の人種差別について知らなかったことがたくさんあると分かりました。この時代は、南部に行けば行くほど差別がひどかったり、黒人は音楽でも差別されていて、チャートも白人アーティストとは別になっていたとか。そういうアメ

リカだとみんな知っていることが物語に普通に盛り込まれているんですが、それらを1個1個「なんでなんだろう？」と考えながら台本を読み進めています。ドリームズたちも旅をしながら体感していくのですが、そういう経験がきっと、彼女たちの中で「上に上り詰めていきたい」と思うきっかけにもなったと思うんです。

でも、経験していない日本人の私が理解するのはすごく難しくて。その差を埋めるためにいろいろな映画を見たり、それこそみほちゃんがアメリカで活動していたときの話も聞いたりして、「実際にそういうことがあるんだ」ということをまずはちゃんと理解して、自分と役とを通わせないといけないと思っています。作品をやる意味はそこにあると考えて、背景を含めた人物像作りにすごく時間をかけています。

福原　同じです。それぞれのキャラクターの背景を深く考えるようになったのは、お稽古に入ってからです。ディーナはどう育ったのか、エフィはどう育てられたのかといったレイヤーで見るようになりました。映画だと、恋愛やショービズの世界に目が行きますが、登場人物それぞれの性格だったり、貧困など家庭環境を想像することが多くなりました。

私は音楽人なので、この間、第2幕の鍵となる歌を歌ったとき、自分としては「よしっ、この歌いけた！」と思ったことがあったんです。でも、眞鍋さんに「これでＭＡＸですか」と言われてお稽古場がシーンとなってしまって（笑）。「ＭＡＸってボリュームのことですか？」とお尋ねしたら、眞鍋さんのところには全然届いていなかったんです。眞鍋さんはお芝居をずっと作られている方なので、人間間の情熱、パッションの渡し合い、そういうものをすごく大事に演出されているんだな、自分が出したエネルギーの100倍くらい出さないと彼には届かないんだな、というのを日々痛感しています。

セリフの言い方をあやこさん（望海の本名）にも相談したら、「歌うときのエネルギーがいいから、その感じでセリフも言ったらいいと思う」とアドバイスしてくれたので、日々練習しています。エフィ自体がすごくエネルギッシュな女性なので、バーンッと弾ける何かを、もっとたくさん出さないといけないんだなと。

望海　眞鍋さんはストレートプレイの舞台を作られてきた方なので、ミュージカルといえども人と人との心の交流というか、1人で完結させるものではないということを大切に舞台を作られているなと感じています。どうしてもミュージカルって前（客席）に向かって歌ったり、感情を飛ばしがちですが、最終的には前に飛ばすにしても、芝居で向かい合う相手から受け取ってそれをちゃんと返すというパスの応酬をきちんとする。そういう基本というか、無くしてはいけないお芝居の大切な部分を教えてくださっているなと。例えば、アメリカの作品なので日本人的な脳だと「何でそうなるの？何でそこの感情にいくの？」と思ってしまうことも少なくないんですが、そういう箇所を話し合いながら、「こう思う」などちゃんとおっしゃってくださいます。また、こちらがやりたいことを試させてくれたり、チャレンジできるお稽古場になっているのがすごくいいなと思っています。

福原　（取材時の）今はお稽古場で役者もスタッフさんも日々奮闘しているんですけども、演じる役者たち自身の戦いと、キャラクターの物語の中の戦い、この両方を本番の舞台でもぜひ、楽しんでいただけたらと思います。初日から千秋楽の間ですごく成長の過程が見られるんじゃないかなと。

望海　エフィはみほちゃんと村川絵梨さんのWキャストで、役は同じといえど全然違うキャラクターになっているので、私としては2つ楽しめています。

福原　大変じゃないですか(笑)？

望海　全然大変じゃないです！「演じる人が違うと同じ役なのにこんなにも違うんだ」と日々感じてますし、楽しいです。きっと公演中も毎回新鮮なんだろうなって。踊りもすごくたくさんあって、そのなかで歌って芝居をするのは、当たり前とはいえこんなに大変なんだなって改めて感じながら(笑)。

福原　役者はみんな、「このミュージカルが今までで1番ヤバい」って言っていますから(笑)。

望海　それだけエネルギーを必要とする作品をできるのは、すごいことだなと。なので、劇場で私たちの、「前に進みたいんだ」というディーナたち人間のエネルギーをぜひ生で体感してください。

セットもすごくこだわっていて。壁をテーマにしているんですよね、ディーナたちの前に立ちはだかる壁。それが形を変えていくのも見どころですし、衣装も早変わりと合わせて楽しみにしていただきたいなと。

福原　（セットや衣装は）完全に日本版オリジナルになっていますよね。

望海　視覚的にもとても華やかで、音楽も楽しいミュージカルです。来日版とは全然違うものになっているので、そこもぜひ注目してください。

（『日経エンタテインメント！』２０２３年３月号掲載分を加筆・修正）

ミュージカル『ドリームガールズ』
２０２３年２月５日～３月26日まで、東京・東京国際フォーラム　ホールC、大阪・梅田芸術劇場メインホール、福岡・博多座、愛知・御園座で上演。

#14

対談

× 白井 晃（演出家）

演劇人として舞台に立つ・作り続ける理由

日本を代表する舞台演出家で、役者としても数々の舞台に立ってきた白井晃。演劇に携わる2人の初対面となった対談は、演劇に足を踏み入れたきっかけから役へのアプローチの仕方、役者としての共通点（!?）まで多岐に及んだ。

しらい・あきら
1957年生まれ、京都府出身。演出家、俳優。83～2002年まで「遊◉機械／全自動シアター」主宰。16～21年KAAT 神奈川芸術劇場の芸術監督、22年から世田谷パブリックシアターの芸術監督を務める。23年11月下旬から演出を務める舞台『ジャンヌ・ダルク』が上演。

オペラからミュージカル、ストレートプレイ、そして音楽劇と幅広い作品を手掛ける演出家・白井晃との対談。白井によるギャングが暗躍するショー仕立ての音楽劇『アルトゥロ・ウイの興隆』(2020年初演、21年再演)を観劇し、強く感銘を受けたという望海風斗が、白井に聞きたかったこととは。

望海 『アルトゥロ・ウィの興隆』は、どんどん引き込まれて巻き込まれて…最後には「とんでもないものを見てしまった」という気持ちになりました。また、この3年間コロナ禍を経て、〝劇場に集う〟ということがすごく大切なことだと感じました。

白井 初演はコロナ直前だったので、演出的仕掛けに観客も巻き込まれ大いに盛り上がっていただき――みなさん声を上げ、役者ももっと客席に降りたりしていたんです。なぜそういうことをしたかったかというと、劇場に観客が足を運ぶ意味の1つでもある、「その空間に表現者と一緒にいることでしか起こり得ない何か」を探したくて。そして盛り上がった瞬間に、作品が持つ意味合いを突きつけられてゾッとするという。

望海 そうなんです(笑)!

白井 体感というんでしょうか。文学を見てお話を理解するだけではなく、その時その場にいた自分が感じたことを〝身体が記憶する〟、そんなことにずっとトライし続けていて、あれもその一例でした。

望海　宝塚の仲間に勧められて拝見したのですが、舞台に立つ我々が勇気をもらったというか。「こういうことがやりたくて、今いろいろなことを我慢して舞台に立ってるんだ」ということを思い出したね、と感想を言い合いました。

白井　光栄ですね。

演劇への初期衝動から現在

望海　白井さんは演出の他、俳優活動もされていますが、演劇に興味を持ったきっかけは何だったのですか？

白井　演出家になるなんて夢にも思っていませんでした。高校時代までは、自分が何のために勉強しているのか分からずジレンマがあって、誰にも迷惑をかけない静かな反抗期を迎え(笑)、学校を抜け出して映画館に通うようになり、そこから天井桟敷の寺山修司さん、唐組の唐十郎さんといったアンダーグラウンド第1世代の演劇に出合ったんです。そこで、自分が今まで演劇だと思っていた概念とは全然違うアプローチをしている方たちを見て心が震えてしまって。その感覚が今まで自分を生かしてくれている。だから、歯車の1つでいいから、演劇の一部になってそれを届けたい――大学のサークルで役者から始まり、サラリーマンを経て、気づいたら演出もやっていました(笑)。望海さんは？

望海　小学生の頃に宝塚のレビューを見て「楽しそうだな、私も舞台に立って一緒にやりたいな」と(笑)。でも、演技をこんなに長く続けるとは思っていませんでした。

白井　レビューは楽しいですよね。

望海　お芝居の面白さに気づいたのは宝塚に入って何年か経ってからで、「お芝居って何だろう、演劇って何だろう」と考え始めたのは本当にここ最近のことで。まだまだ知らないことがたくさんありますね。

やってきたことも少し変わっていて、私は男女のラブストーリーなどザ・宝塚のお芝居をあまりやってこなかったんです。先ほどの白井さんの言葉でハッとしたのですが、お客さんを巻き込むというか、「宝塚に来たのにとんでもないものを見てしまった」というような、今まで得られなかった何かを体感してもらいたいという思いが強くあった気がします。白井さんが芸術監督を務めていらっしゃったKAAT　神奈川芸術劇場で演じた『ドン・ジュアン』(16年)もそうですね。

白井　ドン・ジュアンは半分汚れ役的ですが、役者として本質的に役に近い自分を表現していたのか、それとも表現するために自分とは距離を保ち、役としてうまくコントロールされていたのか、どちらの感覚なんですか。

望海　なんと言うか…恥ずかしくなかったんです。いわゆる二枚目のカッコいいと言われる役は恥ずかしくて。でも、ドン・ジュアンは全部をさらけ出せた感覚があり、自分ではないけれど、でも演じているのは自分なので、「これは楽しいな」と思うようになりました。

白井　ご自分のもともとの性格というか本質とは違うんですよね。僕も役者としては望海さんと同類系なんです。テレビドラマの初レギュラーで、ニヒルではすに構えたソムリエの役をいただいたんですが（『王様のレストラン』大庭金四郎役）、それが僕のパブリックイメージになってしまって。そんな役が続くなかで、自分と違うと思っていたけれど、「自分の中にもそういう部分があるかもしれない」と思って、そこをデフォルメしていくのが面白くなってしまった(笑)。

望海　白井さんは本当に様々なジャンルの舞台を手掛けていらっしゃいますが、私もストレートプレイにも挑戦したいと思っていて。

白井　いいですね。演出する側からすると、ストレートプレイは〝無音という音楽〟の中にあるというか。人間の内なるドラマを描くのに、ものすごく自由度が高いと感じています。

望海　オペラ、ミュージカル、ストレートプレイ、音楽劇。それらの違いはどう感じているのですか。作っていて違いなどはありますか。

白井　オールラウンドプレーヤーみたいな感覚はあって、自分でも節操ないなと思っているんですけれど（笑）。じゃあ何が好きなの？と言われると、結果的に僕が原体験として先ほどお話ししたようなこと、アンダーグラウンドの演劇との出合いといったものがあるので、兎にも角にもその場にいなければ感じられないものを作り得るものであれば、ストレートであろうがミュージカル、オペラであろうが、もしくはダンス公演であろうが何でも興味があるという感じなんです。でも、目指すところは、総合芸術としての舞台芸術であると常に考えています。

やっぱり文学的な要素かつ、身体的な要素、音楽的な要素、そして視覚的要素が全て合致しているものを作りたいというのは、ずっと思っていることです。そのなかで音楽劇が比較的好きであったりはして。若い頃に（ベルトルト・）ブレヒトに出会い、クルト・ヴァイルの音楽など聴いて「これは何だろう？」というところから始まっているので、『アルトゥロ・ウイの興隆』のときにも、「あっ、そうだ！　ジェームス・ブラウンを使おう！」って思いついた瞬間に、自分の中で勝手に盛り上がってしまって（笑）。「アルトゥロ・ウェーイー」って歌が流れた瞬間に役者が出てきたら面白いんじゃないかとか、そういうことを考えるのが好きなんです（笑）。

望海　確かに考えるのは楽しそうですし、面白いですね（笑）。音楽劇というものをまだよく分かっていないので、すごく興味深いです。

演劇における音楽がもたらす効果

白井　この作品とこの音楽がジョイントしたときに、1＋1が2・5とか3になる瞬間を想像するのは好きですね。一方で、人間ドラマというものに対して、特に人間の生と死とか、人の記憶って何だろうとか、そういうことに言及していくような作品に出合ったときには、むしろ僕の中には「無音」という音楽が聴こえてきて。そこには何も音がないという音楽があるんです。ドラマや人間関係だけが緊密に描かれて、一分の隙でもあると破綻しそうな無音の音に包まれているという無音の音楽。それが創る空間、というのも興味があるんですよね。

僕は戯曲を前にしたときにまず、「この言葉たちは一体どこにあるのか」と考えてしまうんです。例えば、お爺さんとお婆さんと書いてあるこの戯曲の言葉たちはどこにあるんだろうと思ったら、別に本当にお爺さんとお婆さんでなくてもよくて、小学生の会話だったらどうなるんだろうって。逆もまた然りで。ですから、言葉に趣を置いているので、あまりストレートプレイから音楽劇、ミュージカルという流れのなかに、自分がプロデュースするときの境目はないんです。

ただ、ミュージカルの場合はスコアがあるので、音楽家がある程度は心情を作っているし、音楽のなかに進行状況が書かれているぶんだけ自由度が少ない。オペラもそうなんですよ、もうできている。だけど音楽劇はそうではなくて、音楽をどこでも好きにはめ込んでいけるので、まだ自由度がある。さらにストレートプレイというのは、言葉と世界観と濃厚な役者の心理というものが濃密に浮き上がる。音楽では表せない。だから、心理的な部分が多いストレートプレイのなかに、音楽を一音入れるのは、ものすごく慎重になりますね。

望海　ストレートプレイのお芝居を見に行くと、音楽が入ったときにホッとするんですよ。音楽が入らないとどこまで連れていかれるんだろうって。緊張というんでしょうか、客席に座っているのにどうしたらいいんだろうって常に心が動いている自分がいたりするんですよね。でも、音楽がかかるとちょっとホッとしたりする。もともと宝塚が好きでそこからミュージカルを見るようになったので、やっぱり音楽があることでホッとできるんだろうな、というのはお話を伺っていて思いました(笑)。

白井　音楽の場合、例えばメジャーの展開コードがあるとするならば、そういうふうに作品を見ていていいんだっていうね。

望海　そうなんです！　どこに連れていかれるかがなんとなく分かるような、そういう安心感があって。

白井　先ほど僕は「無音の音楽」と言いましたけど、安心感を与えないために、無音という音楽を使っているのかもしれなくて。自分の直近の作品でいうと、『マーキュリー・ファーMercury Fur』という吉沢亮君と北村匠海君がやっていた作品は、全く無音ですね。出てくる音は外音だけ。それはお客さんに「どこを見ればいいんだろう？」と思わせるというか、喜劇？　悲劇？　どうなるの？　嘘？　えっ、この人たち何やってるの？　えっ、嘘？　そういうエグい話なの？ってだんだんと想像させていく。転換のところに音楽を使うと安心するんですよ、だから安心しないように、みなさんに考え続けてもらうために無音で引っ張っているということはあるかもしれません。

望海　ミュージカルにとってはもちろん音楽はとても重要なものですが、舞台作品全般における音楽、音の効果って本当にすごいんですね。

白井　ものすごいと思います。僕にとっては無音という音楽があって、その効果は絶大です。

望海　その…、たまに（客席で）携帯とか鳴るじゃないですか。あの瞬間の悲しさというか、やっている側としてはここまで頑張って引っ張ってきたのに今か、みたいな悔しさもあったり。お客さんとしてもここまで来てどうなるっていうときに、今その音を鳴らさないでくれよ、というのはあると思うんです。

白井　それはありますね。せっかく作品の世界に入り込んでいるのにいきなり起こされてしまうみたいな、夢から醒めさせられてしまう。僕も「おい」ってなりますよ。

望海　そういうときに私は気にしてないって思っていることが、逆に気にしちゃっているということになって悔しいというか。なんだったらその音を使って巻き込みたいみたいな気持ちにも時々なるんですけど(笑)。それだけ音は良くも悪くも効果的ですよね。

白井　でも昔、先輩の俳優さんですまけいさんという方がいらっしゃったのですが、すまけいさんは携帯が鳴ると芝居を止めるんです（苦笑）。芝居を止めて音が止むまで芝居をやらない。そうすると、鳴らしたその人がみんなの視線を浴びるから、懲らしめてるんですよ。すごいなと思いました。

望海　(笑)。

演劇界の未来のために考え、動く

望海　白井さんが別のインタビューで、コロナ禍などもあって「劇場に足を運ぶハードルが高くなっているんじゃないか」とおっしゃっていたのを見たのですが、私もとても気になるところで、ぜひお話を伺いたいなと思ったのですが。

白井　はい。ハードルが高くなっていると、明らかにそう思っています。演劇界はコロナ禍で最も苦しんだエンタテインメントです。僕にとって劇場というのは、記憶装置だというふうに思っていて。たとえ芝居の内容が分からなくても、自分があの電車に乗って、あの劇場に足を運んで見たという記憶は残る。付随してくる記憶も含めて場の記憶というものがあり、それを作るのが演劇だと思っているところがあるんですね。それがコロナ禍で根こそぎアウトになってしまって、そしてそのときにSNSやオンライン上での表現、配信も含めてなんですけど、みんながそういう形に出合ってしまった。便利なことはいっぱいありましたし、それで良かったんですけど、そのことによって、それでも済んでしまう、というようなね。例えば、僕が1番ショックなのは「白井さんすみません、なかなか都合がつかずに見に行けませんでした。あれ配信しないんですか?」と言われることなんです。

望海　それは言われますね（苦笑）。配信しないんですかって。

白井　WOWOWで放送しないんですか、劇場中継ないんですか、と言われると、「それか?」って思うんですよね。演劇体験なのにもかかわらず、それで済んでしまうかもしれないというところで、自ら見る人たちを減らしてしまっている傾向にある。そのことによって悪循環が繰り広げられてしまっているのではないかなと。他にも、日本の場合はロングランシステムがなく、どんなに満員になっても、さらに見てもらうには再演しかなく、とても非効率だと思いますし。

最近びっくりしたことがあるのですが、表参道を歩いていたときにどこかのブランドのカバンにアニメの絵柄がプリントされているのを見まして。

望海 ロエベですよね。

白井 アニメと海外の有名なブランドがコラボしてすごいことになってきたぞと。要するにマニアが膨張化してて、席巻してて、むしろ既存の価値を侵食している。現状、演劇界もある種のマニア化をしていると思うのですが、演劇でもちょっとそういうことできないの？と思ったりするんですよね。それはどうしたらいいんだろう。例えば、BTSとか韓国の人たちがグローバルなタレントになり、今や韓国のドラマがNetflixを通して世界中で1位になったりする、そういう世界になっているわけですから。

答えがあって言っているのではないですが、そういうような何か1つの仕組みを作ったら、マニアが席巻してそれが普通のノーマルな文化になるというふうなところに演劇も持っていけるのではないかなとか――あと50年かかるかもしれない(笑)。

望海 でも、その考えはすごく素敵ですね。来てくれる人は限られていると諦めていくよりも、もっともっとどうしたら開かれていくんだろうって考え続けるのは必要なことだなと感じました。

白井 僕が希望として思っているのは若い世代、子どもたちの世代なんです。子どもたちの世界に演劇が身近にあって、開かれたもので、情操教育でたくさん触れていただくことによって、そういう人たちが僕の時代では変わらなくても、いずれ変わっていくのではないかと。せめて今、僕が芸術監督をやっている世田谷パブリックシアターで学生無料デーを作れないかと思っていたり。例えば、子ども向けのプログラムはチケット1枚8000円だけれども、その代わりに一緒に連れてきたお子さんは無料みたいなことはできないかなと動いていて。それは夏の公演では実現できそうです。

（『日経エンタテインメント！』2023年4月号掲載分を加筆・修正）

#15

対談×フランク・ワイルドホーン（作曲家）

広がり続ける日本のミュージカルの可能性を語る

アーティストへの楽曲提供からミュージカル作品まで数々のヒット作を手掛ける世界的作曲家フランク・ワイルドホーンと望海風斗の対談。曲を作る側と歌う側、お互いの仕事へのリスペクトがあふれる6年ぶりの再会となった。

フランク・ワイルドホーン
1959年生まれ、アメリカ合衆国出身。作曲家。ホイットニー・ヒューストンなど様々なアーティストに楽曲を提供している他、『スカーレット・ピンパーネル』『カルメン』『ルドルフ～ザ・ラスト・キス～』『四月は君の嘘』『フィスト・オブ・ノースター～北斗の拳～』などミュージカル作品も数多く手掛けている。

今年、日本でも上演されたブロードウェイ・ミュージカル『ジキル&ハイド』『ボニー&クライド』の他、『デスノート』など日本発ミュージカル作品も多数手掛ける作曲家フランク・ワイルドホーン。望海風斗とは、2017年に宝塚トップスターお披露目公演となった『ひかりふる路（みち）～革命家、マクシミリアン・ロベスピエール～』で主演と作曲家として1つの作品を作り上げた。

ワイルドホーン　風斗さんはとても美しい人だというのがまず印象的で、素晴らしい音楽家であり、情熱を持っている人だと思いました。ですから『ひかりふる路』では、もっと長い時間お仕事できたらいいのに、と思ったのを覚えています。僕は主演の方とは時間をかけ、その成長を助けられればといつも思っているのですが、当時は時間が十分になく、残念な思いをしました。

望海　確かに当時は私もトップになったばかりで忙しくて記憶があまりないのですが(笑)、でも制作発表で主題歌の『ひかりふる路』をワイルドホーンさんのピアノの生演奏で歌わせていただいたことは、とても刺激的で印象に残っています。まず曲をいただいて練習をして、それから本番前に1度レッスン室でワイルドホーンさんのピアノで歌わせていただいたのですが、やっぱり全然音楽が違ったんです。何回練習するよりも、その1度の経験がもたらしてくれたものが大きくて。「こんな曲なんだ！」「歌うってこんなに楽しいんだ！」と感動したんです。歌うとは、自分の中から湧き出るものを音楽に乗せていくものですが、音楽に勝手に導かれて知らない間にスルスルと自分の中からいろんなものが出てくるというのをそのとき初めて体験して。すごく驚きました。

ワイルドホーン　いつも言うのですが、「愛に国境はない」と。それが理由だと思います。音楽家たちが集まって何かをするとき、そこにケミストリーが生まれて、マジックが起きる。だからこれから先、一緒にコンサートでも舞台でも何でもいいので、我々の音楽を観客に届けることができたらなと思っています。

望海　うれしいです。ワイルドホーンさんが作曲をするときは、どんなことを大事にされているのですか。

楽曲に導かれる真実の感情

ワイルドホーン　これはすごく大きな質問ですが、今回はミュージカルということに集中して答えるとすると、「真実」だと思うんです。それはどういうことかというと、そのキャラクターが何をしたいのか、心の底から欲しているものや恐怖に思っていることなど全ての感情に対する真実。その真実を見つけるということ――もちろんそれはメロディーの上での話ですが、舞台で僕の曲を歌うときに1番大切にしなくてはいけないのはそれだと思うんですね。また、僕と同じパッションを持って歌ってくれると、それが観客にも伝わっていくと思っています。

望海　お話を聞いてとても腑に落ちました。台本に書かれていることで、この人はこういう感情があるんだなという理解はできますが、本当に（演じる）自分の中から感情が湧き出てくるのは、なかなか難しいというか。ミュージカルは短い時間で人の一生を生きなければならず、普段体感することがないくらいの濃い感情が行き来するのですが、感情を無理矢理には作りたくないんですよね。こうした感情の動きを音楽が助けてくれるんだ、というのを『ひかりふる路』のときに感じて。公演を重ねるほど「こんな自分がいたんだ」と信じられないくらいの感情がバーッと出てきたんです。だからミュージカルは面白いんだなと感じましたし、話を伺ってやっぱり大事なのはそこなんだなと思いました。

ワイルドホーン　それをできたのは、風斗さんが勇気を持っていたから。自分の魂から、心の中からそれを引き出して観客の前に見せてあげるというのは、とてもすごいことだと思います。日本でアメリカ人として仕事をするうえですごく感じることなのですが、日本はマナー、周囲とのバランスを大切にする人たちが多いんですね。一方、同じく僕がよく仕事をするアメリカや韓国などの人たちは逆で、彼らは感じたものを簡単に出してくる。

でも、先日友人のアンディ・セニョールJr.さんが日本で『ＲＥＮＴ』を演出されていたので稽古場に見に行ったのですが、そこにいた若い俳優たちはみんな自由だったんです。日本の若い世代にはオープンなタイプが多いと感じることができました。

望海　私もブロードウェイで活躍されているマイケル・アーデンさんとお仕事をさせていただくなど、海外の方とご一緒する機会が多くなっていて。もちろん日本のいいところもたくさんあると思うのですが、そこで感情をさらけ出すことだったり、今までと違うやり方を経験して、そこからどんどん広がり、変わっていくだろうな、という可能性を感じています。

ワイルドホーン　僕もそうした広がりを願っています。もっと新しい作品や若いキャストに舞台が開かれ、我々も一緒にできたら。それがこの国にとっても、我々の業界にとっても、とても大切で必要なことだと思っています。

作曲者と役者が導き合い生まれる「音楽」

望海　ワイルドホーンさんが作曲されたミュージカル作品では『ジキル＆ハイド』や『ルドルフ～ザ・ラスト・キス～』、宝塚歌劇団でも上演した『ボニー＆クライド』や『スカーレット・ピンパーネル』などを見させていただいたのですが、私はこれまでは男性側の曲を聴くことが多くて、『ジキル＆ハイド』の『This Is The Moment（時が来た）』など、歌いたいなと思うのは男性の曲が多かったんです。

でも、宝塚を辞めて女性に戻ったときに改めてワイルドホーンさんの曲を聴いたら、女性が歌う曲の素晴らしさ、女性が輝ける曲がとても多いんだなということを知って。『ジキル＆ハイド』の『Someone Like You（あんな人が）』や『ルドルフ〜ザ・ラスト・キス〜』の『Only Love』などが好きなのですが、『Someone Like You』はコンサートでも歌わせてもらいました。

ワイルドホーン　うれしいですね（笑）。

望海　歌っていても、自分がどんどん輝いていくというか、曲によって自分の内から出てくるものが多いんだなと改めて感じました。いろいろな方がワイルドホーンさんの曲を歌われていますが、1曲に入っているエネルギーがものすごくて、本当に1曲1曲愛を込めて作られているのが感じられて。

ワイルドホーン　そうですね、僕は自分のことを運がいい――人生や自分の経歴においてラッキーな人物だと思っています。これまで本当に素晴らしい女性のシンガーの方たちと一緒に仕事をすることができました。ホイットニー・ヒューストン、ナタリー・コール、ライザ・ミネリ、ジュリー・アンドリュース。あと、元奥さん(笑)。リンダ・エダーは素晴らしいシンガーで、アルバムを16枚も一緒に作りました。それがとても幸運だと思うんですね。僕自身は女性の声でインスパイアされると感じています。とても素晴らしい声を聴いて、この人のためにこの曲を書いてあげたいなと思って、たくさん書いてきました。風斗さんは力強い曲(パワーソング)をとても素晴らしく歌っていますが、そういう曲もたくさん書きました。まだ自分は、(音楽家としては)生徒だと思っているんです。だから今後も、自分も学んで育っていって、まだまだいい曲ができると思っています。

望海 例えば、『Someone Like You』を作ったときのことは覚えていますか。

ワイルドホーン とてもはっきり覚えています。この『ジキル&ハイド』の曲はリンダのために書いたのですが、彼女の飛び上がっていくような美しい声に僕はインスパイアされたんです。『ジキル&ハイド』のなかで、(ヒロインの1人の)ルーシーが自分の人生がこれからどうなっていくのか、その可能性について歌っている曲。ルーシーは娼婦なのですが、(主人公の)ジキルと出会い、医者でありチャーミングでマナーもしっかりした素敵な男性である彼と、「もし一緒にいることができたら」という、その場面の状況とリンダの声が組み合わさって、自分がどの方向性に曲を書かなければいけないかがとってもクリアに描かれたのを覚えています。

望海　導き合うというか、曲をいただいてただ歌うのではなく、作る側も歌う側もお互いが導き合っていくのがいい曲を作っていく秘訣なんだなと、お話を伺っていて思いました。

ワイルドホーン　その通りですね。これがコラボレーションするということ、マジックだと思うんです。僕のいわゆる職業的な背景というのは、劇場ではないんです。もともとポップス、バンド、ブラックミュージックもたくさん書いてきました。そちらのほうが僕のバックグラウンド。極端に言うと、アーティストを表現するのが音楽だと思っているんですね。

だから風斗さんのときも一緒で、声を聴き、風斗さんに合うような、輝くような曲を書くというのが僕の仕事のやり方。でもそれは、典型的なブロードウェイの作曲家・作詞家のやり方とは違っています。僕は役者の声を聴いて、そして役を理解したうえで曲を一緒に書いているんです。

望海　『ひかりふる路（みち）～革命家、マクシミリアン・ロベスピエール～』では、やっぱり主題歌の『ひかりふる路』という曲が一番大好きな曲です。なぜかと言うと、私もこれからトップとして始まっていくというときと、ロベスピエールが演説をして「これから自分たちの時代がやってくる」という状況がすごくリンクしているんです。あの公演では、毎日舞台で歌うたびに「トップになったんだ」という喜びをかみ締めていました。歌うだけで当時の記憶がよみがえってくるので、この曲は上演が終わってからもよく歌わせていただいています。私の代表曲というか、宝塚時代に歌った曲のなかでもものすごく大事な曲です。

ワイルドホーン　素晴らしいですね、そう言っていただけると。この曲はあなたの曲なので、我々も大切にしていきたいと思います。

ミュージカルの魅力と新たな夢

望海　ワイルドホーンさんは、ミュージカルの魅力はどう感じていますか。

ワイルドホーン　今は世界が本当に酷い状況ですよね。だから、みんなそこから逃げたいというのがあると思うんです。世界は本当に壊れやすいし、怖い。そんな自分の普段の生活からほんの数時間でも逃げることができるのが劇場だと思います。だからこそ、マジカルな魔法に満ちた特別な世界を経験するために観客はみんな足を運んでいる。特に宝塚の人たちは自分たちのスペシャルな世界を構築していますよね。それがとてもいい例だと思うのですが、ほんの数時間だけ美しい、素敵な体験ができるというのが魅力だと思います。

望海　私も本当にそうあってほしいなと思います。数時間だけでも、日常ではないところに来ていただきたい。宝塚時代もそうですし、今ももちろん同じ気持ちです。今回お話をさせていただいて、またどこかでご一緒させてもらいたいなとすごく思いました。その日まで自分もいろいろなことを勉強して、ステップアップして、ワイルドホーンさんと再会できる日を願いたいです――大きな夢が今日1つできたので、また一緒に劇場でみなさんに楽しんでもらえる場を作りたいです。

ワイルドホーン 僕もまたコラボレーションしたいです。これはすごく面白いんですけど、例えば韓国ではスターがいて、その人が「やりたい」と言ったらプロデューサーがそれに従ってすぐに場を作ってくれるんですね。だから簡単にできるのですが、日本はちょっと違う（笑）。でも本当にやりたいと思っているので、その日が来るのを楽しみにしています。

望海 本当にうれしいです。ありがとうございます。

ワイルドホーン 一緒に冒険しましょう。あと、英語も勉強してね（笑）。僕も日本語を頑張っているのですが、ちょっとなかなか難しいので（笑）。

望海 あははは（笑）。頑張ります。

（『日経エンタテインメント！』2023年5月号掲載分を加筆・修正）

#16

対談

×

菅野よう子

（作曲家・音楽プロデューサー）

作曲家・菅野よう子が望海に歌ってほしいプリミティブな歌とは

ゲストは、映画、ドラマ、アニメの劇伴制作からアーティストのプロデュースまで幅広く手掛ける、日本を代表する作曲家の菅野よう子。望海が宝塚歌劇団在籍時に菅野から楽曲提供を受けた縁から対談が実現した。

かんの・ようこ

宮城県出身。作曲家、音楽プロデューサー。劇伴を担当した作品は、テレビアニメ『カウボーイビバップ』『攻殻機動隊STAND ALONE COMPLEX』『マクロスF』、連続テレビ小説『ごちそうさん』、大河ドラマ『おんな城主直虎』、実写映画『ハチミツとクローバー』『海街diary』など。

望海にとっても生涯忘れられないと語る大事な宝塚退団公演で、レビュー『シルクロード～盗賊と宝石～』（生田大和演出）にテーマソング等の楽曲提供を行ったのが菅野よう子だ。ニューヨークを観劇のためだけに訪れるなど、ミュージカルやバレエといった舞台に造詣が深い菅野とのトークは、退団から丸2年たった今だから話せる当時のことから、歌のこと、そしてこれからのことにまで広がった。

望海　『シルクロード』では、素敵な楽曲を作っていただいて本当にありがとうございました。菅野さんに楽曲を提供していただくと情報が出たときに、反響がすごかったんです。とんでもないプレゼントを最後の最後にいただけるんだというろれしさと、「本当ですか？」という信じられない思いと、普通ではありえないことが今、起ころうとしているのをすごく感じました。当時のことで印象に残っていることはありますか。

菅野　まず、演出の生田先生のやる気がすごくて(笑)。どんな作品でも、「(上演が）4回目なので変化が欲しい」というものより、「これに命懸けてます！」みたいな作品をやりたいんです。ギャラや規模は関係なくね。

私自身が舞台を見て人生観が変わるような経験を何度もしているから、自分のキャリアに影響があるというものより、見た人の何かが変わるなり、出ている人の何かが変わるような体験をやりたいんですよね。だから、生田先生の圧がすごかったというのはうれしいことでした。

過去の作品も見て望海さんの歌がすごいというのはもちろん、真彩希帆さん（※1）との2人のケミストリーというか、相性の良さもとても印象に残っていて。曲を書いて誰かを呼んでくるよりは当て書きしたいほうなので、こういう歌にしようとすぐに思いました。あとは、オーダーメードの洋服を作るように、ミリ単位で歌うその人にぴったり合わせて作っていく感覚ですね。

望海　最初に曲をいただいたとき、本当にうれしくなってしまいました。いわゆる「ザ・宝塚」みたいなものって見る側としては大好きなんですけど、実際自分がやるときにはザ・宝塚じゃないところにいきたい自分がどうしてもいて。

菅野　ザ・宝塚って、例えばどういうことを言うんですか？

望海　難しいのですが――お客様が期待しているど真ん中、みんなが好きなところ、ツボを突いていくみたいなことではなく、想像していないものを出して、「えっ、こんな作品もあるの？」「こんな宝塚もあるの？」、でもそれも「好き」だと言ってもらえるような。ちょっと変化球ではないですが、そういう作品が好きなんです。

十数年宝塚にいて、自分自身の好みをはっきり自覚したときに菅野さんから曲をいただき、聴いたときはニヤニヤが止まらなくて(笑)。この曲たちを宝塚の舞台で、タカラジェンヌとして歌えるのはとてもすごいことだと思いました。お客さんの想像のちょっと上を提供できたときに、また違う世界にお客さんを連れていけるんじゃないかなと。お客さんやファンの方々とも一緒に舞台を通して成長していきたいという気持ちがあるので、早く聴いていただきたくてしょうがなかったですね。音楽の力や楽しさを再確認したんです。タカラジェンヌが舞台に出て喜ばせるだけではなく、音楽によって連れていける場所が絶対あるだろうなということを、曲を聴いた瞬間に感じました。それくらい、まず自分が全然知らない世界に連れていってもらった感覚がありました。

菅野さんもお稽古場によくいらして、「もっとこうしてほしい!」って体全体で伝えてくださったので、歌稽古も本当に楽しくって(笑)。

徹底した現場主義で音楽を作り上げる

菅野 お稽古場に行きましたね。タカラジェンヌさんたちって、まず何を食べているのかという問題があるじゃないですか。

望海 ふふっ(笑)。よく言われます。

菅野　みなさんが普段食べている食堂に行って、けっこうおにぎりがでかいなとか(笑)、やっぱりフレッシュジュースみたいなものを飲むんだなとか。そういうところからとにかく見て。あとはみんなが履いている靴と同じようなものを買ったり。

望海　ダンスシューズですよね。

菅野　そうそう、あのシューズは何ですか？　って質問したり。まずは〝なる〟、真似(まね)してみる、みたいな(笑)。そして、宝塚大劇場に通ってみる。お客様もあそこに来るわけだから、紅茶屋さんがこういうところにあるんだなとか、周辺の街並みを見て、想像を膨らませながら曲を固めていったんです。現場主義なので。

望海　その作り方は、舞台だからということではなく、いつもされているのですか。

菅野　私は常にそうです。例えば、アニメの音楽を作るときは現場も何もないですが、何かにインスパイアされた原作ならそれが生まれた場所へ行くし、ニューヨークが舞台の作品だったらニューヨークに行きます。頭の中だけでも別にできるけれど、匂いや熱気、湿気とかで感じることが多いんです。だからみなさんが大勢で、いろいろなところでレッスンしているのを見て、そういうものからもすごく影響を受けています。どことは言えないですけどね。だって(テーマソングの)『盗賊と宝石』で、望海さんと真彩さんがブチューッてしてほしいって、私がお願いしたんですよ。

望海　そうでした！　ここの音っていうポイントが菅野さんの中にあるんですよね。

菅野　そう！　作りながら頭の中で、ここでバーッと2人が駆け寄ってきてとか勝手に振り付けがあって、ここはそうでしょって頼んじゃった(笑)。

望海　振り付けのときも座って見ていらっしゃるのではなく、動き回って音楽を体で表現されていたのが印象的でした。振り付けは川崎悦子先生（※2）だったのですが、悦子先生も音楽をすごく大事にしていらっしゃる方で、ただ踊るだけではなく、この音楽で今何を届けるのか、何を表現したらいいのかを考えて作ってくださるので、あの時の現場はすごく空気が澄んでいましたね。普段作曲家の方は、振り付けの仕上げの頃に様子を見に来る印象だったので、なかなかない経験ができました。すごくうれしかったです。

菅野　そこがそうなるなら、こっちはこうアレンジして。みたいな。そうやって一緒に、直に見ながら完成させていくのは、本当にすごく楽しかったです。

望海　私の登場シーン（プロローグB）で歌う曲とテーマソングの『盗賊と宝石』では、キーが高いけれど「地声で出してほしい」と言っていただいたところがあったのですが、公演をやっていくうちにだんだん声が出づらくなってしまって。そうしたら菅野さんが「だったらキーを変えよう」と言ってくださり、直してもらったこともありましたよね。

菅野　登場の曲のキーをちょっと下げましたね。でもそれは、身体が細くなってきたからウエストをちょっと締めようか、みたいな話なんです。

望海　そういう選択肢があるんだ、ということを初めて知りました。それまでは作曲家の方が作ったものに対して、なんとしてもそこに行かなきゃ、と思っていたので。でも、無理してやるよりもこうしようと言ってくださったのは目から鱗(うろこ)でした。

歌の表現の可能性を探る

望海　お稽古中に『盗賊と宝石』のシーンだけを通すことがあったのですが、何回目かのときにこらえきれなくなってすごく嗚咽(おえつ)したことがあったんです。コロナ禍のお稽古で、退団などいろいろな思いもあるし、言葉にできないけど、でも（胸を押さえて）ずっとここら辺でもぞもぞしているものがあったというか。別に自分の中でストレスだとは思ってはいなかったのですが、何か溜まっていた全てがこの歌によって全部出てきて。私も泣いているし、周りもちょっと待とうか、みたいな…。今も言葉にうまくできないですが、それくらい自分の中でパーンッと曲がハマった日がありました。

菅野　それはね、意識して作っています。「♪見えなーい」って伸ばして歌うところ。あれは（望海主演の）『ドン・ジュアン』を見て血反吐(へど)を吐くみたいな表現、あれがすごいなと思って。全身で、何がなんだか分からないけど嫌だー！みたいな。まだまだまだ！みたいな。望海さんはそういう表現がすごいんですよ。言葉以前の動物の遠吠えみたいな感じというか。空に向かって叫ばずにはいられない、そんなパッションを表現できるのが望海さんだと思っていたから、そう意識して作りました。だからそこにプリミティブな感情以前の叫びみたいなものを乗せてくれてよかったなと、今話を聞いておりました(笑)。

望海　本当に止められないくらいウワーーーッと感情が出てきて、自分でもびっくりしました。

菅野　例えば「好き」とか「こんな俺なんて」といった歌表現はよくあるけれど、プリミティブでつくろっていない、ごちゃごちゃしたままの叫びのような感じで、でも本当に叫ぶんじゃなくて音楽的に歌える人ってほとんどいないんです。見たことがない。望海さんはそれが特徴だと勝手に思っています。だから、もし望海さんに曲を作る機会があったら、そういうものを歌ってほしいですね。

望海　ありがとうございます(笑)。

菅野　あと、演技を歌に乗せられるとても稀有な方だなと思っていて。表情や声の震えがすごく自然で、他の人と比べても解像度が高いなと思います。でも、歌だけのときはまた別の考え方が必要で。ＣＤとして聴いたときは、あの演技を目で補完できないぶん、聞き手に声だけで想像してもらわないといけないので、聴くだけとなったとき、望海さんのあの演技の解像度を乗せてみたいです。

望海　CDだけで表現する歌ってすごく難しいんだなと感じていて、私ではまだその違いが全然分からないんです。だから視覚もありで歌をお届けすることのほうが、私は向いてるんだなと思っているんですよね。

菅野　声だけで全然いけますよ！　でも例えば、望海さんがショーで歌われる歌い方とちょっとだけ変えていただく必要があって。練る場所がフルの、1番上ではなくてその下あたりを充実させないといけないんです。息をするタイミングとか子音の最初のところ、音の切れ際の震えとかそこがすごく大事で。舞台では音程や音圧の高いところの迫力や伸びに意識がいきますが、でもそれはCDだと音が潰れちゃう。だから、少しの迷いを遅れで表現したり、歌の最後をちょっと沈ませたり、というとても細かい表現を声に乗せることをやってみたいですよね。できると思うので。

望海　（前に身を乗り出しながら）すごいお話を聞かせていただいている(笑)。どうしたらいいんだろうと思っていることを今、言葉にしていただいた気がします。

菅野　グループは？『ドリームガールズ』のときはどうしていたんですか。

望海　それは今も勉強中です。歩きながら歌うとか、ボイストレーナーさんとの練習ではお尻を振りながら歌ったり。グループについてはお稽古中ずっと言われていましたね。なんというか、打ったらすぐに戻ってきてしまうけど、けっこうギリギリまで保つ、実は本当は引っ張りの部分が大事なんだよ、と。

菅野　グループの乗り方、「こういうふうにノるんだよ」というのも教わりましたか。

望海　そういうレッスンもしてもらいました。

菅野　そこから今度は子音をどうするのか。例えば「ト」のTをどこに乗せるのかとか、ちょっと前に乗せるのか、後ろに乗せるのかとか。TとOの間を拍のここに入れるとか、そういう話になってくるんですよね。

望海　もうちょっと早く聞きたかったです。あっ、でもまだ『ムーラン・ルージュ！ザ・ミュージカル』のお稽古がこれからなので、全然遅くないです(笑)！

菅野　リズムの取り方が日本人と海外の方とでは全然違うので、それを意識してやるといいと思いますよ。あと、日本語は英語と違い「SHU」みたいなのは少なくて、TとOだけみたいなのばかりだから、入れどころがあまり工夫できないんですね。リズムに子音と母音を置くときに、英語だと、一言のなかにグループがあるんですけど、日本語は全部タタタタみたいな感じになって乗せにくい。でも、日本人でも上手な人はそこを独自のリエゾンを工夫しながら歌う方もいらっしゃるので、そういう方の歌い方を完全に真似したりするとけっこう分かりますよ。一緒にやっている方ですごいなと思った方はいますか。

望海 福原みほさんですね。

菅野 それならもう完全に真似する。福原さんの音源を完全に同じように歌ってみてそれを聴くと、ちょっとだけ子音がズレてるとか、このタイミングで巻いちゃって早いなとか分かるはずなので。1曲でいいからやるとつかめると思いますよ。元を歌っているビヨンセの(楽曲の)『ユアドリームガールズ』の1節だけでも完全に真似してみると、ドとリの間がどのくらいの長さかとか、切り方とか、強さとかなんか違うなとお分かりになるはずなので。普通に歌うときはあまり考えないことだと思いますし、本当に細かいことなんですけどね。

望海 歌手の方で、洋楽をずっと聴いてグループを練習するという話は聞いたことがあって。ポップスの方はそういう練習をされるんだと思っていましたけど、やります!

菅野 聴いてなんとなく真似するだけじゃなくて、本当に完全に真似することが大事なんです。その細部に宿るんですよ、神は(笑)。

望海 うわあ、いい言葉ですね。

菅野 なんとなく「こんな感じでしょ?」じゃないところにあるんです、グループの秘密は。だからそれはたくさんやらなくていいので、1曲を完璧にするだけでかなりつかめると思います。望海さんがいろんなグループもできたら最強じゃないですか。

望海　ありがとうございます。すごく楽しくて、いいお話ばかりだ(笑)。

望海風斗は舞台で背中から声が出ている!?

菅野　それで思い出したけど、望海さんって背中から声が出るんですよね。後ろ姿で登場して舞台の盆がクルッと回っているときに、あれ？ 背中から声が出てると思って。そういう人はあまり見たことがないです。多分、体全部を使っているんでしょうね。背中にマイクを立てていいくらいの(笑)。本当に不思議。

望海　実は、宝塚時代はとにかく背中が痛くて。終演後に背中のマッサージをしてもらわないと息もできないくらいだったんです。私だけどうしていつも背中が痛いのかなと思ってました。舞台で大きく見せようと思ってそうなってるのかな。

菅野　特には何も意識してないの？

望海　…歌を〝滲(にじ)ませたい〟と思ったんだと思います。私は（世界的ミュージカル俳優の）ラミン・カリムルーさんがすごく好きで、どうやって声を出しているんだろうと考えたときに、めちゃめちゃ体から鳴らしているなと思ったんです。私もラミンさんみたいに歌いたくて、ずっとラミンさんの歌を聴いて真似していたので、それで多分私は勝手に背中を使い始めたのかもしれないですね。

菅野　イメージするってすごく大事なんですよ。歌においても細胞が覚えていくということはあるので。聴くだけだったら記憶オンリーになってしまうけど、細胞にまで落とし込めたら違うよね。ちゃんとなってますよ。

望海　うれしいです。本当に初めて言われました。トレーナーさんにも、何でこんなに背中が固いのかなっていつも言われていたんです。最近はだいぶ良くなってきましたが、宝塚を辞めてからもしばらくは取れなくて。『ドリームガールズ』のときは（声を）前に出したいのに、ちょっと遅れちゃったり、なんかこう奥まって聴こえちゃうなと思っていたのですが、今、原因が分かりました(笑)。

菅野　それは、前にではなく体全体で響かせているから、そのぶん表現するときみんなより（かかる）時間が長いんだと思います。きっとね。両方できるといいよね。

望海　宝塚時代は、どんなときもオーラがすごく必要だったというのもあったと思うんです。ちゃんと使い分けたいです。

　菅野さんが歌を作るときに大事にしていることもお聞きしたいです。

菅野　歌い手なり、プレーヤーがいて、初めて作る世界を大事にしたいですね。完全な当て書き派です。ただ作って誰か歌ってくれないかなというのではなく、この人に、この人の声で届けたいということを考えています。そこが誰でもいいとなるのはちょっとつまらないんですよね。音楽家って演奏してもらわないと、その人の体を借りないと、何もしてないと同じなんです。プレイヤー1人ひとりもそうですが、だからこの人の体をお借りして、という感覚はありますよね。やっぱり化学反応がすごく好きなので、真彩さんと望海さんの反応みたいに、私も望海さんから影響を受けたいし、何かいい影響があるといいなと思いながらやっています。

望海　菅野さんがミュージカルにも造詣が深くて、お話を伺って本当に勉強になりました。

菅野　私ね、ミュージカルを作ったら上手だと思うんですけど(笑)。この機会に何かあったらぜひ。

望海　すごくやりたいです！

菅野　日本発のミュージカル、いいですよね。

望海　楽しみにしています。

（『日経エンタテインメント！』2023年6月号掲載分を加筆・修正）

※1　宝塚歌劇団雪組で望海とコンビを組んでいた当時の娘役トップスター。

※2　振付師、ダンサー。劇団☆新感線、宝塚歌劇団など、様々な舞台作品を手掛ける。

#17 対談 × 井上芳雄（俳優・アーティスト）

メガヒット曲が次々と！ 旧知の2人が語る『ムーラン・ルージュ！』

『ムーラン・ルージュ！ザ・ミュージカル』で、サティーンと恋に落ちるクリスチャン役を演じる井上芳雄を迎え、日本初演舞台のその全貌を探る。さらに、ミュージカル俳優としての考えを聞いていく。

いのうえ・よしお
1979年生まれ、福岡県出身。高い歌唱力を武器にミュージカルを中心に活躍。2023年は、『ムーラン・ルージュ！ザ・ミュージカル』に出演後は、9月から『ラグタイム』（日生劇場ほか）、12月から『ベートーヴェン』（日生劇場ほか）が控える。近年は『行列のできる相談所』（日本テレビ系）といったテレビ番組のMCを務めるなど活動の幅を広げている。

舞台は1899年のフランス・パリ。ナイトクラブ「ムーラン・ルージュ」の花形スターであるサティーン（望海風斗／平原綾香）とアメリカ人の若き作曲家クリスチャン（井上芳雄／甲斐翔真）との激しい恋を、エルトン・ジョンやマドンナ、レディー・ガガらのメガヒット約70曲に乗せて描く『ムーラン・ルージュ！ ザ・ミュージカル』。トニー賞受賞の傑作が、2023年6月24日から8月31日まで帝国劇場で上演される。

長年にわたり日本のミュージカル界をけん引する井上とは昨年夏の『ガイズ＆ドールズ』に続き2度目の共演となるが、実は井上の妹と望海が宝塚歌劇団の同期だった縁で20年来の親交があるという2人。対談では、『ムーラン・ルージュ！ザ・ミュージカル』の稽古の様子から作品の魅力はもちろん、ミュージカル俳優としての考えまでたっぷり話してもらった。

望海　私が演じるサティーンは、ナイトクラブ「ムーラン・ルージュ」の花形スターという役柄です。今は芳雄さんと一緒にお芝居をすることが多いのでクリスチャンとの関係性を深めているところですが、これから（「ムーラン・ルージュ」支配人の）ジドラーら周りの人たちとお芝居をしていくなかで、サティーン像が見えてきたらいいなと。ただ、設定として強い女性ではあるので、その強さをどう見せていくかは演出補のジャシンタ・ジョンさんと話しながら、（自分を）納得させながら作っていこうと思っています。

井上　クリスチャンは夢を持って、何者かになろうと思ってアメリカからパリに来た青年。とても希望にあふれた、心を開いたってよくジャシンタさんは言うんですけど、そういうとても前向きで前のめりな人物です。だから、年齢も含めて今の自分とは全然違うキャラクターですね。テンションや怖いもの知らずな感じなど、昔の自分を思い出さないとできない若い役です。

望海　お稽古は4月末から始まったのですが、いつもとやり方が違いますよね。稽古場が3つあって。

井上　僕も初めての形で、分業制になっているんです。お芝居と振り付け、歌を別々にまずやって、それを後で一緒にする。このカンパニーは世界で日本が7つ目なので、これまで6回試して1番いい方法なんだと信じてやっています。

望海　どうなるか分からないちょっとした不安もありつつ。でも、オーストラリアから日本に来てくださっているスタッフさんがみなさん共通してすごくおおらかで。

井上　否定しないというかね。

望海　提示したことに対して、まずは「素晴らしい意見だね」と言ってくださるんです。そのうえで、ここはこうしたほうがより良くなるんじゃないかとアドバイスをくれる。そうやってモチベーションを上げてくれている気がします。今回、映画は参考にしないでと言われているので、役のことを考える過程で、（映画の）ニコール・キッドマンの姿はなるべく思い出さないようにしています(笑)。

物語と音楽が驚きの融合

望海　歌を楽しみにしてくださっている方も多いと思いますが、トニー賞受賞メンバーでもある音楽監督のジャスティン・レヴィーンさんから、曲のアレンジや意味についても細かく教えていただいているところです。

井上　基本的に有名な曲ばかりで全部いい曲なのは前提として。ただ、歌うのは難しいものも多いよね。僕たちは特に歌の量も多いので、今はちゃんと歌って踊ってお芝居するのに必死で、楽しいまではいけていない感じですけど。

望海　聴いていたときには気づかなかったのですが、実際に歌ってみたら違う曲をつなぎ合わせて掛け合う部分もあったりして、こういう仕組みになっていたんだと分かったことも。クリスチャンが投げかけてきた歌に対して、サティーンは違う歌で返したりとか、それは難しいなと感じています。でも、どの曲も素敵なので、それこそ家に帰っても頭の中でずっと鳴っているんですよ(笑)。きっと舞台を見たら、お客様もつい歌ってしまうんじゃないかなと。

井上　初めて日本語で聴く歌詞なので一緒には歌えないかもしれないけど、何回か見たら、ね(笑)。

望海　(笑)。英語の有名な曲が日本語になって物語の中で歌われるので、新鮮で楽しいと思います。

井上　この作品はマッシュ・アップ・ミュージカル（※）という形で、既存の曲を使っているんですけど、意味は物語に即していて思った以上にちゃんとミュージカルになっているんです。物語と音楽が合っていることに僕もびっくりしましたし、お客様も驚かれると思います。あと、アンサンブルのみなさんの踊りがすごいんですよ。

望海　本当に！　バラバラにお稽古しているので、たまにみんなと合わせたときの感動が半端なくて。そのエネルギーをつないでいきたいなとすごく感じました。

井上　この日本版はオーディションをして、1人ひとりが合格を勝ち取ってこの場に集まっているので、ここに来た時点での喜びも大きいし、「今、最新のミュージカルをやるぜ」っていうテンションも高くて。1つのナンバーが終わるたびに。

望海・井上　フゥーー!!って。

井上　それくらいのテンションでみんなが挑んでいます。

『ムーラン・ルージュ!ザ・ミュージカル』の稽古場

井上 だいもん（望海の愛称）は妹と宝塚歌劇団の同期なので、まだ宝塚に入って間もない頃に、妹がだいもんも誘って一緒にご飯を食べたりしていたんです。偉そうに「こうじゃないか」とか(笑)、見た舞台のアドバイスをしてたよね。

望海 研1（研究科一年）くらいの頃からなので、ちょうど20年くらいになりますね。

井上 まさかこんなことになるとは思わなかった。同じ舞台で共演するなんて。

望海 私も信じられないです(笑)。

井上 だから、だいもんのことは昔から知っているので、今やっている『ムーラン・ルージュ！ザ・ミュージカル』の稽古場ではとにかくだいもんがやりにくくなければいいなと。役の設定も含めてそこに私情を挟んじゃうと、きっと照れちゃったりもすると思うので。

望海 お稽古場では普段と違う仕事の顔をしていますよね(笑)。

井上 そうね、仕事と割り切って。けっこう使い分けるタイプなので(笑)。でも、稽古に行く道すがらでは昔のことを思い出すこともあります。人生は思いがけないことが起こるなとこれまでの変遷を。

望海 私も芳雄さんが言ってくださったことはすごく覚えています。例えば『ファントム』

（19年）では「クリスティーヌ（ヒロインの名前）」と言うシーンが何回かあったのですが、舞台を見てくださった後に、クリスティーヌの言い方についてダメ出しではなく、でも「名前を何回も呼ぶからこそ、クリスティーヌへの愛が名前を呼ぶときに大事なんじゃないか」という話をしてくださったり。本当にいろいろなアドバイスをしていただいていて、私にとっては師匠のような方です。でも、今あまり師匠だと思って接すると、絶対芳雄さんがやりにくいだろうなと私も思っていて。

井上　いやいやいや。師匠じゃないからね(笑)。

望海　今回は、サティーンが立場的にクリスチャンよりもちょっと上でないといけないので、お稽古場ではそこは自分を律してやろうと思っています。内心はテンパっていますけど。芳雄さんを目の前にするとセリフがどこかに飛んじゃうんですよ。

井上　ほう。俺のせいで。

望海　(笑)。だからまずは落ち着こうと。でもお稽古はすごく楽しくて、お芝居って楽しいなと日々感じています。サティーンとクリスチャンとしてもっともっと素敵に掛け合えたらいいなと思っています。

井上　『ムーラン・ルージュ！ザ・ミュージカル』については、映画がヒットしたり、トニー賞を取ったといってもどんな作品か知らない人もたくさんいらっしゃると思うんです。だから、ここから初日が開けて、蓋を開けてみたら「面白いらしいよ」「見たほうがいいよ」「もう1回見たい」というふうに、どんどん盛り上がっていくといいなと。そうなれる作品だと思うので、それを感じられたら自分たちも幸せだなと思います。

望海　ブロードウェイでこの作品を見させてもらったのですが、本当にキャストのみなさん1人ひとりのエネルギーがすごくて、1曲ごとに劇場が沸いていたんです。日本もそうなったらいいなと思いますし。『ムーラン・ルージュ!ザ・ミュージカル』は劇場に入った瞬間から始まっているような、テーマパークに来たような感覚になると思います。一緒に参加してすごく楽しい!と心から感じていただける、コロナ禍での〝しちゃいけない〟を全て取っ払えるような作品になったらと思っています。

ミュージカル俳優としてのお互いの印象

井上　それこそだいもんのことは、宝塚にいたときからきっと外に、こちらの世界に来ても成功する、たくさん活躍する場があるだろうなと思っていました。現在の活躍は意外というよりは、なんとなく分かっていたというか。でも、思っていた以上にミュージカル俳優として花開く…と言うと偉そうですが、より必要とされていたと感じていますね。彼女のことは昔から知ってはいたけど、いち俳優としてどういうふうに努力をしたり、舞台に向かうのかは知らなかったので、去年の『ガイズ&ドールズ』で初めてそれを見て、発見や驚きはありました。

例えば『ガイズ&ドールズ』のときも、今もかな(笑)。基本テンパっているんですよ。(宝塚の)トップを経験しているしそういう感じではないのかなと思っていたのですが、ちゃんと練習もするし、そこに至るまでの準備もしっかりして臨むんだなとか。あと、自分に足りない技術があれば、そこをなんとかクリアしようという努力もしている。もちろんみんなしているとは思うんですけど、それを実際にしていてクリアしていくところが、だいもんのすごいところなのかな、というのは一緒にやるようになって思いました。もともと持っているポテンシャルや技術は知っていましたが、それプラス、どんどんアップデートしていってるんですよね。

ミュージカルは本当にやらなきゃいけないことが多いし、作品によって求められることも全然違うので、そこがないと、宝塚の元トップだというだけではやっぱりやっていけないというか。僕もいろいろな方を側で見てきたので。そうですね、ほのかにずっとテンパってるところが僕はいいなと思ってます。

望海　ふふっ(笑)。(テンパっていると)分かりますか?

井上　ちょっと機嫌が悪いのかな？　お腹痛いのかな？　くらいのね（笑）。でも、舞台人はみんなそうだと思うんです。緊張するし、できなかったら悔しいし、それを変に隠さないところがだいもんらしいというか、人間らしいなと思います。

望海　芳雄さんはですね——。

井上　言っちゃってください！

望海　（笑）。『ガイズ＆ドールズ』でご一緒したときは、今振り返ると自分自身のことで精いっぱいで、初めてのことだらけで見えてないこともたくさんあったのですが、『ドリームガールズ』で自分が座長としてカンパニーを引っ張っていく立場になったときに、改めて井上芳雄さんのすごさを感じました。

芳雄さんだったらどうやってみんなを引っ張っていくんだろうとか、『ガイズ＆ドールズ』のときはどうしていたかなと考えることが多くて。お稽古場での居方などもそう。本当にすごいことをずっと長年されてきて、そして、それを毎回自分で乗り越えているということを身をもって知りました。なので、それを経て今回ご一緒させてもらえるのは楽しみでした。芳雄さんがいるから大丈夫だという気持ちと、でもいつまでも頼ってばかりはいられないなという気持ちで今、ここにおります。

井上　全然そうは見えないですけどね（笑）。

望海　（座長という立場は）宝塚以上に孤独だと思ったんです。宝塚は仲間がいて、スタッフも同じ人たちで、毎作品一緒に作るので孤独感は全然ないんです。ちっともなかった。そういう意味では、この世界は自分自身との戦いがすごく大事で、それに勝ち抜いていかなければいけないという大変さはあるのかなと思いました。なので、師匠を見習って自分自身もっと強くありたいなと感じますし、この『ムーラン・ルージュ！ザ・ミュージカル』中に、もっとたくさん勉強させていただきたいなと。

井上　また師匠。

望海　でもそれって大変ではないですか。

井上　基本的には孤独な仕事ではあると思います。でもなんていうかこう、同時に、今回の『ムーラン・ルージュ！ザ・ミュージカル』のカンパニーはすごく大きくて、活気もあるし、コロナ禍も穏やかになりいろんなことが緩和されてきていて、これからきっと打ち上げとかもできるようになってくると思うんです。で、そのなかでだいもんが、この大きいカンパニーでミュージカルを経験することはいいことだなと思うんですよ。僕としてもうれしいというか。自分も『ミス・サイゴン』などいくつか経験してきて、もちろんそれぞれのカンパニーにいいところがありますが、このビッグプロジェクトにひと夏捧げるみたいな、青春みたいな独特の楽しさがあるんですよね、大きいミュージカルには。そこで付き合っちゃったり別れたりとかいう人間模様も。

望海　あはははっ(笑)。

井上　若い頃はね。それを含めて、何物にも変えがたい興奮があると思うし、僕も年齢は上がりましたが、見ているとああやっぱりいいな、この大きいミュージカルをやんや言いながらやるって楽しいなと感じているので、だいもんも思いっきり楽しんでほしいなと思っています。

自分は本当の意味での青春の年代でもないし、そこに浸り切れない孤独はあるけれど、でもそれは本当の目的じゃないから。仲良く楽しめる要素もあるけど、それがなくても仕事としてとても素敵なものだということも経験して知っているので、どっちも思いますね。みんなと一緒に楽しくやらなきゃとも思わないし、でも別にやりたくないわけでもないし。どちらの気持ちもあります。

望海　その境地にはまだ至りませんが、全力で楽しみたいと思います。

井上　だいもんに座長として伝えることがあるとしたら、そうですね。技術的なことや、舞台に対する心構えみたいなものは宝塚でもやってきただろうから、そこは全然、何も心配いらないと思っています。あとは、座長だからというだけではないですが、年齢的なものも上がってくると立場も変わるし、特にミュージカルは多くの人が関わっているので、自分の立場だからできることもあると思うんです。みんなの前に立ったり、みんなの意見を代表したり——逆はあまりないかな。だから、〝自分の立場だからできること〟というのは、やってあげたほうが周りの人も助かるのかなと。

もちろん誰が何を言ってもいいんですけど、とはいえ、どうしても役者の立場はあまり強くないので、言えることは率先して言ってくれたほうがいいかなと自分は思っています。でも、そこは判断が難しいよね、あまり出しゃばるのも嫌だし。さじ加減は難しいかもしれないです。

望海　宝塚で18年やっていましたが、自分の感覚的にはやっぱり今はまだ3年目なんですよね。宝塚で1番下から始まり、少しずつ〝こうなりたい〟をかなえていってトップにまでなることができた。でも、辞めたらまた最初の地点に戻って、みなさんのなかに入っていくにはまだまだだな、という気持ちが強くあり過ぎてしまって。この2年くらいはどうしたらいいか分からないことも多かったです。でもお話を伺ったり、芳雄さんの姿も見て、自分がやれること、きっと役割はあるだろうなとは思うので、そこはちゃんとしっかりやりたいなと。

周りが見ている自分と、自分が思っている自分は多分違うんだろうなと思いますし、私はまだ…という気持ちを持ち過ぎずにいなきゃいけないだろうなとは思います。なかなか難しいですけどね。あと18年かけたいです。

井上　本当の大ベテランになってるよ（笑）。

望海　（笑）。そういう気持ちでやっていきたいなと思っています。

（『日経エンタテインメント！』2023年7月号掲載分を加筆・修正）

ミュージカル『ムーラン・ルージュ！ザ・ミュージカル』
バズ・ラーマン監督による大ヒット映画『ムーラン・ルージュ』を基に、アレックス・ティンバース演出でミュージカル化。2018年に米ボストンで初演を迎え、19年にはブロードウェイ公演がオープン。トニー賞最優秀作品賞（ミュージカル部門）をはじめ、10部門を受賞した。日本公演の訳詞には松任谷由実、いしわたり淳治、UA、岡嶋かな多、オカモトショウ（OKAMOTO'S）など、日本のミュージックシーンで活躍するアーティスト計17名が参加したことも話題になった。23年6月24日～8月31日まで東京・帝国劇場で上演。

※マッシュ・アップとは、既存の複数の曲を組み合わせて再構築し、1つの曲に仕立てる制作方法。

#18 インタビュー

Interview

菊田一夫演劇賞受賞。改めて問う舞台への思い

2023年2月の第30回読売演劇大賞 優秀女優賞に続き、5月に第48回菊田一夫演劇賞を受賞した望海風斗。日本において舞台作品、役者に贈られる2大演劇賞を受賞した今、望海の胸に宿る思いとは。

私自身は訳も分からず、周りの人に助けていただきながら1つひとつ作品と役に向き合ってきて。これでいいのかどうなのか分からないけれど、それでも今できる精いっぱいで頑張ってきたので、賞が全てではないですが、こうやってまた1つ形として菊田一夫演劇賞をいただけたということで、自分がやってきたことが間違ってなかったんだな、いい結果につながったんだな、と感じられて素直にうれしかったです。

ずっと応援してくださっている方や舞台を見てくださった方にもいい報告ができたのは本当によかったなと思っています。ファンの方が喜んでくださっているのが、手紙やメッセージなどを見ると伝わってくるんですよね(笑)。

ただ、賞をいただいた実感みたいなものは、授賞式に出席したら湧いてくるのかなと思っていたのですが、直前に新型コロナウイルスに罹患して出席できなくて…。行けなかったですし、いただいた盾もまだ見ていないので、実感が湧かないです。でも行けなかったからこそではないですが、またその場に立てるように、リベンジできるように頑張りたいなという目標はできました。

でもまさか、行けない代わりにお渡ししたコメントで触れた天海(祐希)さんとのことがあんなに大きなネットニュースになるとは(笑)。天海さんは、私にとっては多分みなさんが思っている以上に大きな存在というか。出会っていなければ宝塚に入っていたかも分からないですし、今私がここに、舞台の世界にいるかどうかも分からないくらいの方なので、たくさんのきっかけをくださったその気持ちを伝えさせていただいたのですが、さすがに家でびっくりしてしまいました。どうしようって(笑)。

宝塚は特殊なんかじゃない

『ネクスト・トゥ・ノーマル』も『ガイズ&ドールズ』も『ドリームガールズ』も、どの作品も共演者の方やスタッフなど周りの方に恵まれたなと思っています。

例えば、『ネクスト・トゥ・ノーマル』は共演者もスタッフもみなさん、ほぼ初めましてのなかで、自分自身も男役の感覚がまだ残っていたので、作品の中でちゃんと役として役割を果たせるのかなという不安があったんです。でも、演出の上田一豪さんも音楽チームも、全てのスタッフがいいものになるようにお稽古中から本番までバックアップしてくださっていたのを感じました。

あと、特にキャストの方々には本当に感謝しています。俳優になれているのかなとか、ダイアナ役として妻になれているのかなとか、そういう迷いのような気持ちが私の中にあったのは確かなんですね。でも、そういうことではなく、みなさんが普通に妻として、母親として、ダイアナとして私をちゃんと見てくださったんです。公演中もそれがとても助けになって役に没頭できました。「みんながそう思ってくれているのなら私はそのままでいいんだな」と。

『ガイズ&ドールズ』でも『ドリームガールズ』でも、そうやって周りの人たちが役として自然に接してくださったのが実は意外だったというか、想像していなかったことでした。こんなに居やすい環境を作っていただいているんだな、というのがある時分かって、気持ちが楽になりました。

舞台に向かう自分のスタンスはこれからも変わらないのかなと、最近思います。宝塚のお芝居はやっぱり独特で、そのことに対して難しく考えていたところがあったのですが、舞台には本当にいろいろな人たちが集まっているんですよ。ストレートプレイやミュージカルという垣根なく活躍されている方もたくさんいらっしゃいますし、ミュージシャンや他の劇団の方、アイドルの方だったりいろいろな人が集まって作品を作っている。そのなかで、宝塚出身というのはその1つであって、全然特殊なことじゃないんだと分かったんです。出自の違う人たちが集まって、それぞれの経験を持ち寄り作品を作っていく楽しさも感じています。それは大きな気づきだったと思いますね。

（取材時の）今は『ムーラン・ルージュ!ザ・ミュージカル』の舞台稽古が始まったところで、また新しい感覚で舞台に臨むことができています。

今までは初日の幕が上がるまで、お稽古場でこれでいいのかなとずっと考え続けているのが普通だったのですが、前回のこの連載でもちょと触れましたが、1場面ずつみんなバラバラにお芝居を組み立ててからそれを合わせていくので、悩むポイントがなかったというか。今やっといろいろなことを考え始めたところです。

もちろんレプリカ公演自体も初めての経験ですが、演出家の方が変わると作り方は大きく変わるのが舞台。『ムーラン・ルージュ！』の舞台を作っているオーストラリアチームもまた独特なので、私自身気持ちを柔軟にして、いろいろなことを吸収しながら臨みたいなと思っています。こちら側に想像を促すような言葉で、イメージや演出の意図を伝えられるんです。どういうことなんだろうとずっと思っていたことが、舞台稽古に来たら意味が全部つながって、なるほどと。だからこそ今もう1回考えている感じですね。今回はプレビュー公演を経ての初日というスケジュールになっているので、初日までに完成させていければ。オーストラリアチームのみなさんも「大丈夫だよ！ 作品はできているから！」っておっしゃっているので(笑)、あまり考え過ぎずにやっていきたいなと思います。

日本が7カ国目の上演になりますが、日本語で上演するのは初めてなので、初演メンバーとしてしっかりサティーンを演じたいですね。今は「このミュージカルはすごいです！」とお伝えしたいです。

舞台に立っていて楽しいと感じる瞬間は、みんなと達成感を味わえたときや心を通わせられたときです。それはカンパニーのメンバーはもちろん、お客様も含めた「みんな」。舞台って毎公演1回1回違うんですけど、立っているときに「今この瞬間、すっごい何かが動いたよね」って感じられる一瞬があるんです。劇場全体の全てがパンッとはまったような。でもそれは常にあるわけじゃなくて、だからみんなそれを体験したくてやっているというか、探し続けているというか。生身の人間が集まらないとできないことを味わえた瞬間がやっぱり楽しい。

それと舞台は、表に出てこない、お客様からは見えないところで働いているスタッフさんがとても多いので、『ムーラン・ルージュ！』も稽古や準備段階から数えると200人くらいいるのかな。ワーッと舞台が盛り上がったときに、そういうスタッフさんのぶんまで歓声をいただいたような気がして、「みんなでやり遂げたね」というそういう喜びを味わえた瞬間が私は好きですね。

（『日経エンタテインメント！』2023年8月号掲載分を加筆・修正）

あとがき ――舞台生活20周年。望海風斗の現在地――

宝塚歌劇団で初舞台を踏んでから今年で活動20周年を迎えました。私の20周年は、一足早く昨年秋のコンサート「Look at Me」から始まって、そこから活動を振り返る機会が度々あったのですが、20年頑張ってきてよかったと心から感じています。読売演劇大賞 優秀女優賞や菊田一夫演劇賞などの受賞も、この夏『ムーラン・ルージュ！ザ・ミュージカル』の舞台で毎日濃い時間を過ごせたのも、20年の積み重ねがあったからこそだなあと。

そもそもこんなに長く舞台に立ち続けることになるとは思ってもいませんでした。スタートの地である宝塚には「男役10年」という言葉があって、極めるためにはそれだけの時間がかかるという意味なのですが、それも最初は長い道のりだなと思っていたんです。まさかこんな人生になるとは（笑）。

実際トップスターになるまでに15年――想像していたよりも長い時間がかかりましたし、途中で他に楽しい道があるのでは、と考えることもありました。例えば、結婚して子どもを産んで、イギリスのコッツウォルズ地方でのんびり暮らしたいなとか

（笑）。でも少しずつ、本当に1歩1歩進むなかでトップへの諦められない気持ちが大きくなっていくと同時に舞台の楽しさも知り、もっといろいろな作品に出合いたい、もっといろいろな役を演じてみたいという気持ちも強くなっていったんです。そして、宝塚でトップになるという大きな目標が達成されたあと、声をかけてくださる、求めてくださる方がいるのなら「流れに身を任せてみてもいいかな」と大好きなミュージカルの世界に飛び込み、20周年のこのときに『ムーラン・ルージュ！』の舞台に立たせていただけることは本当に大きなことで。これまでの経験があったからこそ演じられる、ここに立っていられる、そういう作品だと思っています。

ここからもうはい上がれないのではという挫折のような経験もありましたし、山あり谷ありな20年でしたが、全てが必要な時間だったと感じますし、振り返ると面白い人生だったなと思いますね。

今の悩みは、『ムーラン・ルージュ！』はサティーン役を平原綾香さんとWキャストで務めているのですが、体力も気力もあり余っているみたいで。私は公演がお休みのときもシングルキャストの方は舞台に立っていると思うとうらやまし過ぎて、「私も毎日出たい〜」という衝動に日々耐えていることですね（笑）。もっと演じたいですし、それくらい今、本当に楽しく幸せです。お休みの日は何をしたらいいのか分からなくて(笑)。プライベートでは予定を決めるのが苦手なのは変わらないです。

激動の1年半を経た今の〝望み〟

改めまして『望海風斗 第二幕』をここまで読んでいただきありがとうございました。この本は『日経エンタテインメント!』で約1年半にわたりお届けしてきた連載『Canta, vivi!』をまとめたもので、私の転換期というか、大きく変わる激動の時間を一緒に歩んでいただいたなと思っています。

連載を通して、私のこれまでのことや今考えていることをたくさんお話しさせていただきましたし、普通は一緒にいる方々じゃないエンタテインメント界のそうそうたる方々と対談をさせていただきました。対談も最初は緊張して、「受けていただいてありがとうございます!」みたいな(笑)。毎回ドキドキしながらお話しさせてもらっていたのですが、誰1人お話しすることが嫌いな方はいないというか、今感じていることを率直にお話ししてくださる方たちばかりで、とても刺激的で。みなさんご自身がされていることにこだわりがあり、その情熱にも触れることができて、「好き」という思いの偉大さや、いろんな考え方があっていいんだということを知ることができました。私は本来人見知りなのですが、新しい出会いは決して怖いことではないんだなと感じることができる機会にもなりました。対談してくださったみなさまには、心から感謝をお伝えしたいです。

私自身の大きな変化という意味では、実は、連載が始まる直前に『日経エンタテインメント!』さんで受けたインタビュー（2022年2月号、7P）で、「これから望海さんは女優やミュージカル俳優など、カテゴライズすると何になるのか」と聞かれたときに、ちゃんと答えることができなかったんです。

宝塚退団後の初舞台となった『INTO THE WOODS』も始まる前で、宝塚を辞めた後、コンサートなどはしていたものの何もしていないのに、女優って？俳優って？いやいやいや、と。歌を歌い続けたいとは言っても、じゃあアーティストなのかと言われたらそれも違うと。舞台に立つことは自分で決めましたし、出演作品も発表されていましたが、今思うとタカラジェンヌではなくなった自分が、これから先何を目標としていくのかはっきりとした形が見えていなかったんです。でも今は、

「望海風斗は俳優です」と言っていいのかな、と思えるようになりました。

この1年半の間に5本のミュージカルに出演させていただくなかで、自分自身お芝居に対するウエートがすごく大きくなったんですね。本当にいろいろな演出家の方と出会い、『INTO THE WOODS』では熊林弘高さんにセリフ1音1音の大切さを、『ネクスト・トゥ・ノーマル』では上田一豪さんに「(演技を)やろうとしない」ということを教えていただき。『ガイズ&ドールズ』のマイケル・アーデンさんはお芝居や舞台を作る過程において新しい考え方を提示してくださり、『ドリームガールズ』の眞鍋卓嗣さんは向かい合う相手とのお芝居という根本の部分を意識するきっかけをくださり、『ムーラン・ルージュ!』はミュージカルっていろいろな形があって面白いと改めて感じさせてくれています。

私は歌が好きです。でもやっぱり、お芝居ありきの歌が好きだし楽しいんだなということを実感しています。あの時俳優と言えなかったのは、私にお芝居を語ることはできないと思っていたからなんだなと今は思いますね。

これからもミュージカルを軸にしていくことは変わりませんが、人間の心を揺さぶるようなシンプルなストレートプレイをやってみたいという気持ちも強くなっていますし、もちろん歌への挑戦の場、私の気持ちをお客様に直接届けることができる場としてコンサートも続けていきたい。映像はまだ未知の領域ですが、話を聞くのは楽しいので「映像と舞台のお芝居はどう違うの？」と共演者の方にリサーチだけはしています(笑)。

この秋は宝塚歌劇 雪組のプレ100周年を記念するショー『Greatest Dream』、24年はオリジナルミュージカル『イザボー』も控えています。まだまだやったことのないことも知らないこともあると思いますし、なりたい目標があるので、そのとき感じたことを大切にしながら、挑戦する心を忘れずに、前に進んでいきたいです。

最後になりますが、『望海風斗 第二幕』には私にとって本当に1番大事な1年半が詰まっています。こういうことがあって今があると知ってもらえたらうれしいですし、何かを感じ取っていただけたら。何度も読み返してくださいね。

2023年9月

望海風斗

カバー、中面撮影	中川容邦[カバー他]　上野裕二(146P、148P、160P上)
スタイリスト	早川和美[カバー他]　津野真吾(impiger)　重光愛子(A.K.A.)　為井真野(KIND)
ヘアメイク	yuto[カバー他]　チエ(KIND)　国府田圭(望海風斗、白井 晃) 高城裕子　内藤 歩(水野良樹 いきものがかり)
マネジメント	ワタナベエンターテインメント
構成	山内涼子 平島綾子(日経エンタテインメント!)
ブックデザイン	bookwall
制作	エストール
編集アシスタント	西村早織
校閲	田井裕規(アイ・ティ・オフィス)

●衣装協力(全て望海風斗)

◆通常版[カバー、17-24P]
白フレンチスリーブタイトワンピース(FABIANA FILIPPI/株式会社アオイ☎03-3239-0341　ジュエリー(Perlagione/ラ パール ドリエント☎078-291-5088)

◆ファンクラブ限定版[カバー、163-165P]
シャツ(ottod'Ame)、デニムパンツ(MÊME ROAD)共にストックマン☎03-3796-6851
リング、ピアス(共にQAYTEN☎03-6206-6429)　ベルトは参考商品

●衣装協力[中面]　ページはカラーページのものです。

89P	ラヴィッシュゲート トウキョウ(☎03-6427-3353)
90P	トップス、パンツ(共にディウカ)　シルバーイヤリング、ラインストーンイヤリング、ブレスレット(以上、ラ・キアーヴェ)　問い合わせ先全てドレスアンレーヴ☎03-5468-2118
91-93P	ロングシャツ、パンツ/共にMOGA(☎03-6861-7668)　アクセサリー/全てアビステ(☎03-3401-7124)
102-104P	ジャケット、パンツ、タンクトップ、ショートタンクトップ(以上、TRANSIT PAR-SUCH/ストックマン☎03-3796-6851)　ゴールドチョーカー、ゴールドバングル、ツイスト2ゴールドバングル、ピアス(以上、NATURALI JEWELRY 新宿高島屋店☎03-3351-5107)
153-154P	ISSEY MIYAKE(☎03-5454-1705)
155P	ラヴィッシュゲート トウキョウ(☎03-6427-3353)
156P	トップス、パンツ(共にヨーロピアン カルチャー/ストックマン☎03-3796-6851)、ピアス(1DKジュエリーワークス/ドレスアンレーヴ☎03-5468-2118)、バングル(ドナテラ・ペリーニ/日本橋三越本店3階ミグジュアリー☎03-3274-8248)
157P	トップス、パンツ(共にディウカ)　ネックレス、イヤリング(共にラ・キアーヴェ)問い合わせ先全てドレスアンレーヴ☎03-5468-2118
158P	黒ワンピース(ディウカ/ドレスアンレーヴ☎03-5468-2118)　ゴールドイヤリング、ゴールドリング(共にラ・キアーヴェ/ドレスアンレーヴ☎03-5468-2118)
159P	ボアジレ、トップス、パンツ/全てプレインピープル(プレインピープル青山☎03-6419-0978)　イヤカフ/イン ムード(フォーティーン ショールーム☎03-5772-1304)
160P上	MÊME ROAD(ストックマン☎03-3796-6851)、アクセサリー(QAYTEN☎03-6206-6429)
160P下	ニット(ottod'Ame)、パンツ(TANDEM)共にストックマン☎03-3796-6851　ジュエリー(アレッサンドラ・ドナ/ラ パール ドリエント☎078-291-5088)
161P上	黒ワンピース(So close,/DINOS CORPORATION☎0120-343-774)　ピアス、ネックレス(共にNATURALI JEWELRY/NATURALI JEWELRY 新宿高島屋店☎03-3351-5107)
162P	チャイナ襟ワンピース(ottod'Ame/ストックマン☎03-3796-6851)
166-167P	シャツ、パンツ(共にottod'Ame/ストックマン☎03-3796-6851)　ピアス(Perlagione/ラ パール ドリエント☎078-291-5088)
168P	ジャケット、オールインワン(共にMÊME ROAD/ストックマン☎03-3796-6851)　ピアス(アレッサンドラ・ドナ/ラ パール ドリエント☎078-291-5088)
257-264P	ブラッシュピンク パフスリーブジャケット、黒透かし柄プリーツスカート、ブラッシュピンク タンクトップ(以上、FABIANA FILIPPI/株式会社アオイ☎03-3239-0341)　ジュエリー(QAYTEN☎03-6206-6429)

望海風斗 のぞみ・ふうと

10月19日生まれ、神奈川県出身。2003年3月に89期生として宝塚歌劇団に入団し、月組公演『花の宝塚風土記／シニョール・ドン・ファン』で初舞台。その後花組に配属され、14年に雪組へ異動。17年7月より雪組トップスターに就任し、『ひかりふる路(みち)～革命家、マクシミリアン・ロベスピエール～』『ファントム』『ONCE UPON A TIME IN AMERICA』など数々の代表作を生み出し、21年4月に『fff －フォルティッシッシモー／シルクロード ～盗賊と宝石～』で退団。退団後はミュージカルを中心に活動し、『INTO THE WOODS』『ネクスト・トゥ・ノーマル』『ガイズ&ドールズ』『ドリームガールズ』『ムーラン・ルージュ！ザ・ミュージカル』に出演。その活躍が認められ、23年第30回読売演劇大賞 優秀女優賞、第48回菊田一夫演劇賞を受賞した。24年はオリジナルミュージカル『イザボー』に主演予定。

望海風斗 第二幕

2023年9月11日　第1版第1刷発行

著　者　望海風斗

発行者　佐藤央明

発　行　株式会社日経BP

発　売　株式会社日経BPマーケティング

〒105-8308　東京都港区虎ノ門4-3-12

印刷・製本　図書印刷株式会社

ISBN 978-4-296-20244-7